かならず先に好きになるどうぶつ。 もくじ

かならず先に好きになるどうぶつ。

近くにあるものや、いつもあるものによって、
人の運命は大きく変わっていくものだ。
すべての展開は、「近くのもの」によって変わっていく。

ことばにできたような気がするときというのは、
そういう照明の下で、そう見えた写真みたいなもので、
そう表現されたもののほんとの大きさ豊かさのほうが、
ことばで言えてることの何百倍もあるのだ。

「うちの犬は、いいこ」と言ったときに、
「どういうところがいいこなのですか?」と
あらためて問うのは、ほんとうは野暮というものなのだ。
ああいうところ、こういうところと説明をはじめたら、
「うちの犬は、いいこ」と言うときの、
まろやかでにこやかで、こころがふるふるするような
あの気持ちよさは消えてしまうのである。
「いいこ」と感じて、そう言っているときの、
「うちの犬とわたしの間」にある「とてもいいもの」は、
すでにそこにあったものなのだから、それでいいのです。

謙虚は倫理だけじゃなくて、
美意識でもあり戦略でもある。

希望なんかで、腹いっぱいにならない、
希望なんかで、寒さはしのげない。
希望なんかで、痛みはとれやしない。
希望なんかで、亡くなった人は帰ってこない。
希望なんかで、戦は終わらない。
そうかもしれないけれど、そういうものでもない。
どっちなんだ、どっちでもない。
希望は、主観だ思いこみだ目にも見えない。
しかし、どうにも、希望を持っている者は、
なんだかうらやましく見られるのだ。
その小さなちがいを、あると思うかないと思うか。
その小さな光を胸に灯せるかと、じぶんに問う。

いま書いているものよりも、
前に書いたもののほうが生々しい。
逆に、いま書いたもののほうは、わかりやすい。
「わかってもらえるものなら、わかってもらいたい」
という意欲については、どうやら
いまのほうが強くなっているらしい。

外れたときにもがっかりしなくていいようにと、
ネガティブからスタートするやり方ってのもあるけどさ、
「受け取るたのしみの総量」が少ないんじゃないかな。

おいしいものを食べている。
いつまででも食べていたいとさえ思っている。
これは「いい時間」だ。

しかたなくエサのようになにか食べている。
こんなものを食べていていいのかとさえ思っている。
これは「いい時間」じゃない。

映画を観ている。
おもしろいなぁ、と、こころが動く。
あとで、観てよかったなぁと思う。
これは「いい時間」だった。

いやだなぁと思う人々と、がまんして会話をしている。
早く終わらないものか、つらくてしょうがない。
これはもちろん「いい時間」とは言えない。

高いケーキをおごってもらった。
おごってくれた人が、ずっといかに高いかを語っている。
ケーキはおいしいのだけれど、恩着せがましいなぁ。

これも「いい時間」とは言いがたいだろうな。

本を読み終えて、「いい時間」だったと思うこともある。
本を読んで、「いい時間」じゃなかったと思うこともある。

値段だとか、一般的な価値だとかと関係なく、
それをしていた時間を、「よかったな」と感じていたら、
それが「いい時間」というものなんだと思う。
失恋の体験だって、最悪だったと思っていたはずなのに、
いつか「いい時間」にカウントされるかもしれない。

人に親切にする、いわゆる損得で言えば損なことでも、
相手のお役に立ったようなら、「いい時間」になる。
人の親切をありがたく感じる、むろん「いい時間」だ。

生きて、いつか死ぬのが人間のあたりまえだ。
「いい時間」だったなぁと、思えるならば、
それはきっと「いい人生」だったということだろう。
幸福というのは、「いい時間」を過ごすことではないか。
「いい時間」をもたらすものを、人はもとめている。

「かっこいいなんてことは、考えもしない」
という考えがあってもいいのだけれど、
けっこうたくさんの人が、実は「かっこいい」を
大事にしているということを無視しないほうがいい。

かけ声や合いの手もね、
それはそれで、歌であり絵でもあるんだよね。
これまでの経験というやつが染み込んで、
かけ声にだって出るんだぜ、ほんとだよ。
合いの手が、編集作業をしていることもあるし、
他のメンバーの楽器をよく鳴らすこともあるんだよ。

絵を描く人が、たとえば、
オレンジ色が見えている夕日のようなところに、
ちょっとだけ青い絵の具の筆跡を加えていたりする。
え、そんな色があったのか、と見た人は思うのだけれど、
それがなかったら、きっと絵はちがって見えたはずだ。

そんなふうなことはよくあるもので、
たのしいことがあるときに、ほんのちょっぴりでも、
悲しいことがなかったら、こころに残りにくい。

仔犬の写真をたくさん撮っていると、
かわいいばかりでない表情がそれなりに混じってくる。
生まれたばかりの赤ん坊にしたって、

ただあどけないだけだと思ったら大まちがいで、
いのちを止めてしまわないように、
休みなく心臓の太鼓を打っているし、
血管の網の目は赤い血を走り回らせている。

ひと色のものなんかない。
花という文字を見て悲しくなる人もいる、
その花を、わたしたちは、
またちがう目で見ている。

なにが、どうできるかということよりも、
なにに、どう向かっていくのかの
姿勢というものが、好奇心の表れなのかもしれない。
好奇心は、「わたしを変えてもいい」という
覚悟（あるいは無意識の衝動）があるってことなんだ。
「変わるが、生きるだから」と言い放つよ。
わかりづらければ、逆を言う「止まるが、死ぬだから」。

じぶんのことを「たいしたことないやつ」として、
さばさばしていられるときと、
「たいしたことないやつ」ということで
どんよりしてしまうときがある。
どちらも、もともとおなじじぶんなのだから、
どんよりするのはハズレである。

絵本を見ているときとか、小説を読んでいるときとか、
歌を聴いているときとか、映画を観ているときとか、
芝居を観ているときとか、料理を食べているときとか、
だれかのでたらめな話を聞いているときとか、
ぜんぶ、ぼくらは

だまされている。

素敵にだまされている時間を、ぼくらは大好きで、
もっともっとだましてくださいと、
作者にお願いしながらその時間を過ごす。

うそや、でたらめを、宝石のように見せてくれたり、
どこかの国の珍しい土産のように渡してくれたり、
見せるようで見せないでじらしたり、
機関銃のように撃ち出して息を止めさせたり、
作者たちは、そういうことをするよ。
最高だね、と思う。

ケーキを並べたガラスのケースは、絵本のページだ。
おねぇさんの「いらっしゃいませ」は音楽のはじまりだ。
空の向こうまでぶっ飛ばせそうなクルマは、
アニメのヒーローじゃなく、あなたを乗せて走る。
あの女の人が、あの男の人に甘え声を聞かせたね。
おっと、男の人はなにか強そうにふるまったよ。
だれかのいたずらや、また別のだれかのでまかせや、
さらにだれかの思いつきなんかが、街にあふれる。

だまされている。

ただのほんとうじゃ、広い世界は埋まらないので、
無数の作者たちが、うそやでたらめを撒き散らす。
花だって、蜂だか蝶だかにウインクしているだろ。
林檎は甘酸っぱくておいしいなにかを振りまいている。
素敵にだまされに行くのが、人々の「たのしみ」の時間。

すべての対話に共通しているおもしろさの基本は、
話している者どうしが、次にじぶんが言う内容や、
その場でじぶんが考えることを、知らないということ。
「どうなってもいいし、どうなるのだろう？」と
たのしみを感じながら話をしているということ。

バナナよりも、バナナの香料のほうがバナナの香りだ。
ぶどうよりも、グレープ香料のほうがグレープの香りだ。
「いいのか、それで?」とも思うけれども、
そういうことには、耐性をつけてきていると思う。
これはニセモノだ、と目くじらを立ててもしょうがない。
バナナの香料の匂いを、ぼくらはもうすでに、
「ああ、バナナの香りね」と翻訳してたのしんでいる。

密室劇なのに、登場人物が増えていく。
そういう物語である。
事件の内容については、あまり頓着しない。
殺人なのか、たぶん、殺人かなんかなのであろう。
しかし、完全なる密室空間において、
最初にいたはずの数名の登場人物が、
数えるたびに増えているという事実は、
なんともおそろしい。

〈『探偵小説の喪失』より〉

ほんとうにいい考えを聞くと、
人間は笑いだすものだよな。

お出かけでごんす。

応募してたのが
当たってた！
うれちいさ、
もちろんっ！

龍安寺に行った。

日付を見たら去年の10月だった。

つくづく思うのは、状況をほんとに変えるのは、
やっぱりアイディアだっていうことだ。
運だって、アイディアに引き寄せられるものだからね。

これから戦いに向かうリーダーの立場では、
ネガティブになることに、なんの意味もないのだ。
不利があるなら、不足があるなら、
なにをすればいいのか、どんなに短い時間であっても、
対策を考え続けるしかないのだ。
ネガティブにとらえられかねない状況にあることと、
主体がネガティブになることとは、まったくちがう。

その違和感は、もしかしたら価値になるのではないか?
その実現不可能性は、どういう理由でなのか?
ダメだとわかっても忘れなくていいし、捨てなくていい。
漠然とどこかに取っておけば、
また新たな組み合わせの材料になるかもしれない。
そして、「待てよ」と考えた領域は、
すでにそれまでよりも広くなっているはずだし、
「あり得るぞ」と感じたことは、少なくとも、
じぶんを含めただれかへの新しい問いかけになる。

損得のことばかりを考えている人と、
損得のことを一切考えないという人がいるのではない。
たくさん損得を考える人と、少し考える人がいる。
濃いか薄いかがちがっているだけなのだと思う。

「消極策」を軸にして、積極的にものを考えることもある。

その役を、だれかが引き受けないと、
みんなが不幸になってしまうだろうという場合がある。
だから、ときどきは「冷たい人と思われてしまおう」と
勇気を出して決めてしまうことがある。

会ったことない人を嫌うためにつかっている時間って、
なににもましてろくでもない時間だよね。
嫌いな料理について考えて「まずがってる」時間とか、
嫌いなマンガについて「つまらながってる」時間とか、
気に入らないことに時間をとられているのは、
仮に、ちょっとでもいいことがあったとしても、
やめたほうがいいよなぁと、あらためて思う。

起こったことに、悲劇だの喜劇だのと、
いちいちラベルを貼らなくてもいいじゃないか。
どっちでもないのだし、名付けようもないはずなのに、
これは悲しい、これは笑えると決めなくていい。

人のこころの奥にある、ときには残酷だったり、
ときには破滅的だったり自己犠牲的であったりするような
わけのわからない衝動は、無いことにはできない。
ただ、それを空気中にさらすときに、注意深くあること。
たくさん生きると、そういうことを知る。

「なんでもあり」とか
「ノールール」とかいわれるものって、
ほんとうにおもしろかったことがないなぁ。

なにか「いやだな」と思うようなことがあったとき、
それをそのまま書くよりも、
できるだけ「いいな」と感じたことを書きたい。
できるだけじぶんの気持ちがよかったことを、
書くようにしている。

混雑した電車の中で、
他人を突き飛ばして乗り込む人に、
なにかいやなものを感じた場合は、
大混雑の中でも気持ちがよかった経験のことを
書くようにしたいと、できるだけ考えを巡らせる。
それが、そうそううまくいくわけでもないので、
そのまま書くのをやめてしまうことも多い。

なにか、正しくないことを見つけて、

それがよくないことであると叱っていれば、
じぶんは、「善いもの」でいられる。
それどころか、人の言いにくいことをはっきりと言うと、
勇気のある人のように称えられるかもしれない。
でも、これじゃない方法をとりたいと思っている。

美しからぬものを見つけて、これはみにくいと、
指摘するようなことも、あんがい受けがいい。
美意識が高いとか、趣味がいいとか思われたり、
それが仕事として成立したりもするかもしれない。

だけど、それよりは、じぶん自身のやることで、
「これは好きだ」とか「きれいだね」が、
表現できたほうがずっといいように思う。
できるだけ、ぼくは「希望」の探せることをしたいと思う。

ずっと、こころから「あいつがにくい」と思っていて、
その「あいつ」がどえらい目にあうことを願い続けて、
とうとうその「あいつ」がひどい目にあったとしたら、
にくんだり呪っていた人間は、幸福になったのだろうか。
「あいつがにくい」は、なんか「じぶんがにくい」と、
背中合わせになっているような気もするんだよね。

親しい関係のなかでは、批評というのは、
ほんとうにありがたく、染み入るものだ。

そうかもしれないけれど、そんなことできるのか？
というようなことをルールにしようとしてないか。
そりゃそうだろうけれど、だれがどうすればいいんだ？
というようなことで、ずっとやりあっているとかさ。

いいところを見つける力のようなものを、
たっぷり持ち合わせていたいし、
わるいところを見つける感性を持っていたとしても、
それに引きずられないようにしようと考えている。
そういう姿勢でいて、嫌な思いをしたことはない。

「ほんとにやろうとしていること」と、
「ほんとにやろうとはしてないこと」とがあります。
おなじく、「ほんとにやろうとしている人」と、
「ほんとにやろうとはしてない人」がいます。

「ほんとにやろうとしていること」よりも、
「ほんとにやろうとはしてないこと」のほうが
派手で、見栄えがよかったり、人々にウケたりします。
「ほんとにやろうとしている人」よりも、
「ほんとにやろうとはしてない人」のほうが、
よりまっすぐだったり、命がけに見えたりもします。

「ほんとにやること」というのは、
ときに妥協が必要だったり、曲がりくねったり、
むだなことのようにさえ思えたりするものなので、
やり続けるのに勇気みたいなものが必要になります。
また、「ほんとにやろうとしていること」には、

できないかもしれないという疑いとの戦いもあります。
「ほんとにやろうとしていること」をやっている人と、
「ほんとにやろうとはしてない人」は、
あんがい見分けがつくような気がしています。
ぼく自身が、「ほんとにやろうとしていたこと」と、
「ほんとにはやろうとしてなかったこと」の両方を、
恥ずかしながら経験しているせいもあります。

「ほんとにやろうとしていること」を抱えている人は、
理解されるための表現を、やや抑えています。
その理由は、うまくプレゼンテーションしすぎて、
あとで「がっかりした」と言いそうな人まで巻き込むと、
お互いのためにもよくないから、だろうと思っています。
逆に「ほんとにやろうとはしてない人」は、よく語ります、
よく叫びます、よく表現します、よく誘います。

損と得でなんでも考えるような人間が、
じぶんの子どもであったら、それは悲しいことだ。
損得のことは、いずれ技術として覚えざるを得なくなる。
技術は技術として役に立てればいいだろう。
自らが生み出した得で、よろこばれることもきっとある。
しかし、得でないことを、当たり前のようにできることが、
子どもにはできてほしいと思うのだ。
親子でなくても、仲間にもそうあってほしいと願っている。
じぶんの得しか得ようとしてない人間は、
かんたんにそのことを見破られて、それだけの人になる。

「家族的」は強くもあるのですが、危ないんです。
ぼくは、チームが「家族的」っぽくなってると、
じゃまをします。

生きているものが、生きているものと関係する。
これほど大きな出来事は、なかなかない。
ともだちができる。恋人ができる。先生ができる。
なかまができる。先輩ができる。後輩ができる。
いいにつけわるいにつけだけれど、
人が人になんらかの影響を与えないはずがない。
「あんなふぅにだけはなるまい」という関係もある。
「あんなふぅになれたらなぁ」ということも、
「見てるだけでうれしくなる」なんてことだってある。
「なんだか気が合うよね」ということも、
「気になるんだけど近づかない」ってこともある。
どの関係も、すべてが「私」をつくっているのだ。
「あなたのこころは会った人々でできている」である。
人々のなかには、神さまも入るし、犬や猫も入るけどね。

「そんな大胆なこと、あんたにできるのかな?」と、
小声でかまきりは言ったぜ。

自己犠牲、狙い撃ち、生き残り、ボディガード、
特技、必殺技、怨恨、友情……。
あらゆる人間模様がドッジボールにはある。

「わたしはたいしたことない」というおまじないが好きさ。

初台での「谷川俊太郎展」から。

オリンピック
準備中です。

塩野米松さんと、ひさしぶりにお会いして、
たのしくもとりとめない話をした。

そのなかに、闇の話があった。
真の暗闇というのは、ほんとうに深いものだ。
いちおう、ぼくにも真っ暗闇の経験がある。
闇の怖さというのは、味わったほうがいいかもしれない。

というようなことを話していたのだけれど、
塩野さんは、その闇にほんのすこし、
ろうそく一本くらいの灯がともるのも怖いですと言った。

わぁ、その怖さと付き合ったことはないなぁ。

まったく見えない暗闇というのを、
胎児は経験しているのだろうかと、ふと思った。
音は聴こえているけれど、見えるものはないのだろう。
人間の一生には、暗闇が前提なのか。
つまり、ぼくも、あなたも、
生まれ落ちるまでは、光を知らなかった。
よく、ここまでたどりついたものだと思う。

ぼくは、たまたま、じぶんの指先も見えないような
恐ろしいほどのまっ暗闇を経験したことがある。
どっちに向かって歩きだすこともできない、
すべてがまちがっているかのような暗闇があるのだ。
薄ぼんやりでも、なにかちょっとでも見える暗闇なら、
ほんのすこしなら歩き出せそうな気がするけれど、
星明りさえもあてにできないような暗闇では、
じっとして夜が明けるのを待つしかなかったろう。
昔を生きていた人たちは、おそらく、みんな、
あんなまっ暗闇を知っていたんだろうなぁと思う。

そういう時代に、遠くへ旅をするということは、
どういう気持ちだったのだろうか。
想像したふりまでならできるけれど、
全身でわかるようなことはできそうもない。
しなければいけないから、旅をする。

そのままそこにいられない理由があって、旅をする。
そういう人のする旅と、ぼくらがいましている旅は、
根本からちがっているのだろうと思う。

上野誠先生の『はじめて楽しむ万葉集』という本を買った。
あらためて、万葉の歌に触ってみたら、
少ないことばの数で、強靭になにかを言っている。
そこでふと思ったのが、かの時代の人々が感じていた
夜の暗さと旅のつらさのことだった。
それは山の高さでもあり、空の青さ、恋の切なさなどにも
連なる「生きることの濃さ」であるように思えた。
いま現在を生きているぼくらの体内にも、
昔の人々の感じていた夜の闇の深さが記憶されている。
残っている歌のなかに、そういう記憶が刻印されていて、
いまでも、それが呼び起こされているのだろうなぁ。

いまを生きろ、いまを生きろ、そのために昔を生きてみろ。

太鼓の山車がどんつくどんつくと大音量でやって来て、
眩しいくらいに輝くねぶたがうねるように現れる。
笛を吹いたり鉦を鳴らしたりのお囃子が来て、
花笠かぶった跳人たちが踊り歩く。
ねぶたが目の前に来たときには怪獣のようにも見えます。
なんだかわけのわからない涙が出てきてしまって、
案内してくれた方や家人に「早すぎる」と言われました。

ねぶたの色と光の乱舞は、人間という生きものが、
内臓ぜんぶをぶちまけているような凄みがあります。
こんなにすごいものだということは、やっぱり、
その場で、見て感じないとわからないものでした。

「やりたくてやってる」ことの凄みと歓びを、
こういう祭はつくづく教えてくれます。
すべてを「損だ得だ」で考えるような世の中は、
それほど昔からあったものではありません。
やりたいからやる、やらずにいられないから必死になる。
「生きるって、そういうことだろう?」と、
地域全体が問いかけているようでもありました。

老いも若きも、男も女も、晴れがましい顔して、
それぞれに「こっちを見ろ、いっしょにやろうぜ」と、
見物のぼくらに誘いかけてるようでした。

ほんと、
すっごいものだ。

青森県立美術館。
シャガールの部屋。

青森は犬の街。

ここ、いいよねー。

「真剣になる」ってことは、
愛するとか、学ぶとかと同じように、練習のいることだ。
ちゃんと真剣になれると、逆に力を抜くこともできるし、
ほんとうに休んだり遊んだりもできるのではないか。
ぼくより年下で、これからの時間が長い人は、
「真剣になる」ことをおぼえておいたほうがいい。

「いつかやろう」と思っていることがあるのは幸せだ。
その「いつか」が、「もう、いま」じゃないのかいと、
しょっちゅうじぶんに訊いてやったほうがいいと思う。
生きている時間は老人だけじゃなく少年にも限りあるもの。

じぶんのやっていることを、
なんでも肯定してもらえると思うのはまちがいです。
同時に、絶えず否定されることについて怖れながら、
考えたり言ったりするというのもちがうでしょう。
だれでもが、その両極の間のところにいるはずです。
価値あることは、ことばのなかにはすこししかなくて、
なにを、どうしてきたかのなかにあります。
しかも、そのことについて、
ほんとうに知っているのは本人だけだったりもします。

こころの元の元は、からだなので、
からだが疲れていると、こころもしぼんでしまうのだ。
食事をおいしく食べて、よく寝て、
ゆっくりお風呂に入ってみたら、
「どこらへんが悩むところで、
どこらへんは悩んでもしょうがないことか」がわかるよ。

周囲にだれもいないところでは、じぶんが裸で出てくる。
いつも陽気な人の表情にも憂いが見えるかもしれない。
人間関係に気をつかって遠慮している必要もないから、
重い部分や暗いところも出てきておかしくない。
あんがい獰猛なまでの好奇心だってあるかもしれない。
ひとりで感じ、ひとりで思い、ひとりで考える。
この時間を持っているかどうかが、とても大事だ。
ふだん、どんなに浮ついて見える人でも、
「ひとりでいる時間」の顔が想像できる人なら、
ぼくは、信じてつきあいたいと思っている。
善悪とか、損得とか、趣味がどうのとか関係ない。
「ひとりの時間」のあるなしは、なにより大事だと思う。

すこし粗末に扱われている時代には、
周囲がよく観察できるわけで、
その時代に培った観察力とか、技術とかが、
百どころか二百とか千とかの価値を生み出すんだと思う。
いまの若い人、わたしの価値を安く見ないでと
早めに対策しすぎてるような気がする。
低く見られているうちが、根っこを育てるとき。

二十歳のころのぼくは「なにをどれくらいできるのか」が、
まったくわかっていなかった。
いまのぼくなら、そのころのじぶんが、
「なにをどれくらいできないのか」を知っているから、
教えてやりたいくらいなのだけれど、教えないだろうな。
おまえは、掛け値なしに「なんでもないぞ」と
言わなければならないからだ。
なんでもないことは、とても当たり前のことなのだけれど、
二十歳のころのじぶんは、けっこう弱っていたので、
ほんとうのことを知るのが、つらかったと思う。
弱かったからこそ、そのことを見ないようにして、
ごまかしたり逃げたりしながらなにかをしていたのだ。
けっこう弱い人間が、次々になにかすることによって、
すこしずつ大人になっていく、そういうものだ。
なにもしなかったら、けっこう弱いはずっと続く。

「おまえにはできそうだ」とか「きみにできるかな？」
と言われてさせてもらえる仕事は、経験になっていく。
いさかいごとに巻き込まれたり、それを仲裁することや、
人に悪いことや卑怯なことをしてしまったことも、
傷を負うかもしれないけれど、経験になっていく。
思いがけないひどいことをされても、経験になる。
見苦しいほどの恋愛も、失恋も、もちろん経験になる。
結婚をすることも、それを続けることも経験だし、
別れてしまうことも経験として重なっていく。
子どもを生むこと、育てることも、当然経験だ。
人と真剣に関わることは、すべてが強くなる経験だろう。

恥ずかしいことをたくさんしてきている。
しかし、おもしろいものだ。
恥は、いや、恥もまた、財産であると思うようになった。
過去にやらかした失敗も同じなのだけれど、
昔、若気の至りでかいた恥は、もう経験できない。
あのときこのときの恥ずかしいことが、
もしなかったらと考えると、驚くことに、
あってよかった、あったほうがよかったと思えるのだ。

どんな恥ですか、どういうふうに恥ずかしかったのですか
などと聞かれたところで、教えたくない。

じぶんから言いたくなって言うことはあっても、
人から問われて白状するようなことは、ありえない。
だって、きみ、恥なんだからね。
衣服を脱ぐにしたって、脱ぐならじぶんから脱ぐよ。
押さえつけられて丸裸にされるのは御免だ。
とはいえ、恥は恥で財産に勘定されている。

いま、恥ずかしさ真っ盛りの少年よ青年よ中年よ、
恥はおそらく一生ついて回るものです。
じっと見つめて、しょうがねぇなぁと言うしかないです。

変態をする昆虫のサナギのなかは、
なんのかたちもしてないどろどろなんだと聞いたけど。
それを知って驚きもしたけれど、なんとなく、
そうなんだろうなと、まるごとわかった感じもあった。

日本の夏、特に八月というのは
なにかが、なにかに生まれ変わる前の
坩堝（るつぼ）のような時間に思える。

夏休みの少年や少女たちは、夏になにかが変わって、
ちょっとだけ別人になって新しい学期を迎える。
八月の間は、夢中で夏と格闘していたので、

じぶんが変わったことに気づけなかったのだ。

大人になってからも、もちろん老人も、
生や死や、光や影や、出会いや別れを感じる八月には、
こころのなかに混沌に似たものを見つけることになる。
年相応の落ち着きや知ったかぶりができなくて、
夏の暑さにいったん溶けてみたほうがいいのだろうな。

たくさんの変化が、準備されている。
変わることを怖れないだけでなく、
変わることのほうに飛び込んでいくような季節が、
すこしずつ動き出していくはずだ。

「おれは弱ってるなぁ」という日が、
あってよかったと思うことがあるのだ。
こころが弱ってなかったら、
このことばはあんまり染みてこなかった、ということ。
希望がかすんで見えなくなってたおかげで、
思ってもみなかった方向の、微かな光が見えたこと。
そんなことがあるものなのだ。

汚れは人間のひとつの栄養素だとは思うのだけれど、
汚れ放題の環境をつくってしまうと、
人生が悲しい方向に行ってしまうことが多い。
だから、身近にいる若い人には、
できるだけきれいなことばを使うことなんかを
伝えたくなっちゃう。

愛嬌というのは、万能であるようにさえ思う。

なんだかよくわからない愛嬌のある人に会っていると、
なんの会話もしなくても気持ちがよくなる。

優秀にも美男にも、真剣や正義にも、愛嬌は負けないぞ。

「愛嬌さえあれば、モテモテだぜ」

よく電車とかで、ほとんどしゃべらない
中年や老年の男女がいるだろ。
あれは、若い人には理解できないかもしれないけど、
仲がわるいのとはちがうんだ。
「互いにだまっていられる相手なんて、
そうそういるもんじゃない」という、
大事な相方ってことなんだよ。

願うことはほとんど平にして凡なることのみ。

ん？　パンダとシロクマ……だけじゃない？

「いい気になる」のことは、人生の大問題であろう。おまえだけの問題だろう、とか言われそうだけれど、いやいや、そんなことはないよ。いい気にならなそうな人でも、ちゃんといい気になる。人に気づかれないところで、あるいはじぶんの目を盗んでいい気になるということはある。▼そして、「いい気になる」ことがないと、成長することもむつかしい。イエス・キリストが、じぶんが大工の息子として生まれたことを、いつまでも意識していて、それこそがじぶんなのだと思いこんでいたら、次の運命へと跳躍できなかったことだろう。▼ぼくら人間は、だれでもが、ひとりではなんにもできない赤ん坊として生まれて、「ひとりで大きくなったような顔」をして、子どもになり、青年になり、大人になってきている。そのプロセスだって、「いい気になってる」場面が、いくつも連続してあったに決まっている。つまり、「いい気になる」ことは、生きていくことの前提でもあるのだ。▼それなのに、「いい気になる」ことで、人生を台無しにしてしまったり、人に迷惑をかけたり、だれかに避けられるようになってしまうことがある。ぼく自身は、この「いい気になる」ということとこれまでどうやって付き合ってきたのだろうか。ずっと考えてきたのに、よくわからないままなのだ。▼もちろん、ある年齢からは「いい気にならないように」気をつけていたように思う。ただ、本気で「いい気にならないように」すると、「留まるエネルギー」のようなものに縛られてしまう。死んで動かなくなる状態が最も「いい気になってない」。なんだか、おもしろくもない結論になるけれど、「いい気になる」は分量や場面の判断が大事らしい。いまのじぶんは「いい気になりにくい」のが弱点だと思う。

子どものころから、ちょっとずつ、

家庭ででも学校ででもいいので、「決める側」になるという勉強をできたらいいよね。いろんな行動をとるときに、関係者だれもの意見が一致するはずもない。そういうときに、みんなが一致するまで延々と時間を費やしているわけにはいかないから、「こうしたらどうだろう?」という提案が必要になる。▼そこで、その提案に「おれはいやだ」という者もいる。「気乗りはしないが、それでもいい」という者も、「おれは賛成だ」という者もいるだろうが、「こうしたらどうだろう?」と提案する者には、ある程度のリスクがともなう。「おれは反対なのに、あいつのせいで…」という不満は、提案者にぶつけられるからだ。最悪のケースでは、憶測や邪推をもとにして、「あの提案は、あいつの得になるばかりなんだ」というような疑いをかけられることだってあるだろう。▼他人からみてのちょっとした意見のちがいが、当人にとっては絶対に譲れないことだったりもする。しかし、いつまでも結論を出せないままじゃ困る。めんどくさいことこの上ないが、決めなきゃならない。▼というようなことを考えるときに、メンバーがみんな「決める側」を経験していたとしたら、まるごとの賛成や反対はないということを、それぞれに理解しながら、やりとりできると思うんだ。「少しゆずりあう」だとか「別の選択肢を探る」だとか、多少でも前に進む方向が見えやすくなるんじゃないかな。学校の授業で、ディベートとかよりも、「決める側」になる練習をしたらいいのになぁ。なんでも反対みたいなやり方は、無敵で不幸だものなぁ。

半世紀も前のことだ。父親が、どういう事情があったのか、生まれて初めて飛行機に乗ったのだった。▼帰ってきて、すぐじゃなかったと思うのだが、いつものように晩酌をやり、にやにやしながら言った。「あの、飛行機というのはすごいものだなぁ」と。高校生だったぼくは飛行機に乗ったことはない。「すごいものだなぁ」と言われても、なにを言うこともない、それでなくても反抗期なのだし。「雲が目の前だったり、雲の上を飛ぶんだからなぁ」そうなのか、雲の下しか見たことないからなぁ。「おまえ、飛行機に乗るんだったら費用は出してやる」飛行機に乗る用事を思いつかないのだが、費用は出してやるということは、乗せたいのだろうな。しかし、「飛行機に乗る」ということのために飛行機はあるわけじゃないだろうと、ぼくは思った。飛行機で、どこそこへ行くという目的がないと、乗ってはいけないような気がしていた。▼父は、ただ息子を飛行機というものに乗せたいのだ。そして「雲のなかやら、雲の上を見せたい」のだった。ただ、飛行機に乗ればいいと思っているのだ。しかし、それを受け止める息子は、飛行機が旅をするための交通手段であると考えていた。ぼくは、「ああ、うん」とか返事をして、飛行機に乗るための下調べさえもしなかった。どうすればいいのか、父に質問することもできず、こころのなかでは「乗ってみたいものだ」と思ってた。▼父親の「息子を飛行機に乗せてみたい」という考えは、いまにして思えば、なかなか非常識でたのしい。雲の上を飛ぶという経験をする、それ自体が目的だ。そして、当の息子であるぼくは、常識的に、「どこかへ行くために飛行機に乗る」という枠にはまった考えから離れられないでいたのだった。そして、「乗ってみたい」という好奇心も、たいして強くなかったということもあった。父親の発想のほうが、ずっとやわらかくておもしろい。ぼくが、どの方向にでも一歩踏み出しさえすれば、空を飛んでいたはずなのに、結局、ぼくは地上にいた。飛べないやつだったんですよ、若い日のぼくはね。

統計をとって、それを見て言ってる

わけじゃないけど、ある程度大人になってから、家に犬や猫を迎えた人は、みんな幸せを増やしているなぁと思えます。明るくなったとか、夫婦の仲がよくなったとか、いろんな運が向いてきたとか、いろんないいことがあった家が多い。そう言うと、怪しげなペンダントの広告みたいですが、そんなんじゃないような気がしていて、しばらく考えてきたんですよ、それについて。▼で、それなりに、こういうことかと、考えた。まず、犬や猫を家に迎え入れる前に、家族の間で真剣な話し合いが行われると思うんです。たとえば、みんなが寝坊な家だとしたら、朝の散歩をどうするかとかについて、生活習慣を見直したり、改めるということを決意する。部屋の片づけをちゃんとやろうとか、仕事をしながら世話をするための時間割をつくるとか、お金もかかるということについて、どうやってその費用を捻出するのかとか、たくさんの判断が必要になるわけです。ひょっとしたら成り行きにまかせてやってきた家庭に、責任感のある計画や判断が入ってくるんですよね。いちおう、でも、これをちゃんと話し合い、実行できるようになった家族は、ひと回り強くなってる。そして、これがいい習慣を家にもたらし、そこから幸運を招き寄せることになっていると思えます。▼そして、犬や猫が家のなかに暮らすようになると、「じぶんのことばかり考えていられない」という状況に、どうしてもなってしまいますよね。だれにでもさまざまな悩みがあり、考えることは多い。でも、じぶんのことをじいっと考えていても、それはなんとも「狭い」ものになりがちです。犬や猫がいると、そういう「じぶん用に悩む時間」が、彼らのごはんや散歩やうんちやおしっこに奪われちゃう。それが、人を明るくするのかもしれないと思うのです。▼特別に取り柄がないけど生きてることが肯定されている。そんなコたちの世話をすることは、何かを変えますよね。

ほんとうは、「坊主は坊主、袈裟は袈裟」です。そんなことは、だれだって知っているのです。でも、「憎い坊主」がいたときには、その坊主がまとっている袈裟までが憎らしくなります。その話し方やら歩き方まで腹立たしく、むかむかします。豹柄の服を着たおばちゃんがやってきても、ぼくらは、「猛獣だ危険だ！」と逃げ出したりしません。「豹柄だからといっておばちゃんは豹じゃない」ことを、ちゃんとわかっているからです。つまり、ちゃんとわかっていればいいんだと思うんです。「坊主は坊主、袈裟は袈裟」ということは、「豹柄のおばちゃんは、豹じゃない」ということ。袈裟だとか、豹柄だとか、なにかのサインに対して急いで反応してしまうのは、どちらかというと、弱さの表れなのかもしれません。もっと強ければ、憎んだり逃げたりしなくても、おちついて対処できるでしょうから。

イラスト＝和田ラヂヲ

「戦略的パンダ」ってものがいたとしたら、
赤ちゃんのときにはあんまり動かなくても
十分かわいいから、静かめにしておくね。
大人になったら、おもしろい動きを
どんどんやって笑いをとる。嫌なパンダだな。

ちょっと、モモンガになりたい。
じぶんを薄いふとんみたいにひろげて、飛んでみたい。
ちょっと、なりたいっていうあたりが、
いかにも、おれだ。
なるわきゃぁないんだけど、ちょっとなりたがる。

ラッコの表現力っていうのは、
哺乳類のなかでも群を抜いてるんじゃないか。

アダムだかイヴだかに、
造物主だかなんだかの誰かさんが言ったとさ。
「じゃぁ、おまえがやれよ」
しょうがなく人間は動き出したわけだ。

こんな船の名前はいやだ。

剛毛丸

ぼかぁねぇ、一日に何度か言うんだよ。
その、あれをね、いやなに、あれだよ、あれ。
バリバリバリ　バーフバリィ！
バリバリバリ　バーフバリィイ！

SUNDAY　MONDAY　TEYANDAY
こちとら EDOKKODAY!

SUNDAY
MONDAY
edo
TEYANDAY
EDOKKODAY!

SUNDAY
MONDAY
TEYANDAY
EDOKKODAY!
THURSDAY
FRIDAY
SATURDAY

デザイン＝秋山具義

制作中

COMME des GARÇ

仕事でもなく、義務でもなく、必要でもなく、趣味。
宗教でも、政治的なイデオロギーでもなく、
趣味が人を集め、人を束ね、
人を「生かしている」のかもしれない。
そういえば、とっくにそういう時代になっていたのだ。
で、で？　趣味とはなんなのだ？
答えも見当がついたぞ。
「趣味とは、明日も生きたいと思わせてくれるもの。
またの名を、たのしみ」そういうことだ。
人は、パンの栄養のみで生きるにあらず、
パンのおいしさや美しさかわいさによろこび、生きる。

詩人が「できるような気がする」と思いさえすれば、
これは、かならずできるものになる。

映画や舞台では、よく橋の上でなにかが起こる。
橋の上から、川を見おろしたりもよくしている。
橋の上でばったり出会うということもよくある。
橋から飛び降りるということもある。
橋が爆破されることも、それなりにけっこうある。
汽車の渡る線路を敷いた橋も、よく出てくる。
現代の場面ばかりでなく、時代劇でもよく登場する。

これほど橋がよく出てくることについては、
さまざまな角度から、すでに知者識者たちが
さんざん語っていることだろう。
あちらとこちらをつなぐものであり、
下には渡ることのむつかしい川が流れていたりするから、
なんかそういうふうな構造を語ってみたら、
もっともらしいことも言えそうな気もする。

しかし、説明やら研究やらのことじゃなく、
ぼくが興味あるのは、映画や舞台をつくる制作者たちが、
橋をついつい描きたくなっちゃうということのほうだ。
あっちとこっちとか、出会いとか別れとか、
ついつい橋をつかって表現したくなっちゃうこと。
見え見えなのに、橋の上で出会わせたり別れさせたりが、
やめられないということのほうだ。

やっぱり、きっといいんだよ、橋は。
舞台の演出家も、映画の監督も、役者たちも、
みんな橋はいいなぁって思ってるんだろうな。
いや、演出に関わっている人たちばかりじゃないよ。
たぶん、人はだれでも橋を気にして生きているんだ。

「あこがれ」というのは、
ぼくの大事なキイワードのように思います。
羨ましいとも言えそうだし、嫉妬があるかもしれないとも疑ってみるのですが、やっぱりちがうんですよね。
もっとずっと相手への尊敬があるのだと思います。
ぼくにはなれないし、なれたらいいなとちょっと思うけど、なによりあなたが素晴らしいんです、という感じ。
これは、いつごろからか、ぼくが獲得した感じ方です。
だいたいのいいものにあこがれちゃう。
その対象が、世界の偉人であろうが、子どもであろうが、どうぶつであろうが、カニ食いおじさんであろうが、ときには景色であろうが、仕組みであろうが、
さらには歴史上の暴君であろうが、鬼であろうが、
あこがれることはいくらでもあります。

機能や目的のない文章を、
もっと読んだり語ったりしよう。

遠い昔と近い昔なんてことは、比べる必要がないんです。
思い出という広場に混じり合って遊んでいるんだから。
犬の表情が幼く見えたり、じぶんが妙に若かったり、
季節の景色がちがっていたりすることはあります。
でも、ぜんぶ、いっしょの「思い出」というものです。

「思い出」は「いま」と隣り合わせのところに、
生々しく、新しく、たしかに、あるんですよね。
「思い出」に順番も年表もいらない。
そういえば、小学生のときの思い出も、

中年になってからの思い出も、昨日のことのようだもの。

あらゆる「思い出」というものは、
現在から等距離です、隣り合わせなのですから。
そして、よい「思い出」も、わるい「思い出」も、
おそらく同じように隣り合わせのはずなんです。
それぞれの「思い出」を近くに寄せたり、
遠くに離したり忘れたりすることが、
おそらく、その人なりの「物語」なんでしょうね。

「傘」と「こども」とふたつの単語があるだけで、
いろんな情景が思い浮かびそうだ。
傘だけがあるところに、こどもがやってくると、
考えなくてもこどもと傘が勝手に動きだす。

傘は、雨や日差しを背景に持っている。
こどもはルールに関係なく、いろんなもので遊ぶ。
開いた傘を逆さにしようが、
それを舟のようにして水に浮かべようが、
きれいに巻いて刀のようにして構えようが、

U字形の持ち手を中心にぐるぐる回転させようが、
なにをしたっていいわけだ。

ことばがひとりぼっちでいると、
それはじいっと見つめられる。
傘だって、ただそこに傘だけのままであったら、
カタログの写真のようになってしまうだろう。
傘、傘ねぇ、傘、忘れ物、ビニール、雨?
そこに、こどもを出合わせるだけで、傘がいのちを持つ。
ことばは、ことばと出合わせると世界がおもしろくなる。

もし、ぼくやあなたが絵描きだったとして、
絵を描けなくなったりすることはあると思うんです。
いちど絵筆をおいて別のことをしよう、
というようなことも、もちろん選択肢のなかにあります。
でも、「いいなぁ」と思う絵が、どこかで描かれています。
つくり手としてのじぶんが「出がらし」になっていても、
受け手としてのじぶんは、死んでないんですよね。
別の人の作品のことを「これ、いいなぁ」と、
そう思えるこころは、とてもすばらしいものです。

暗くなるのがさみしいという気持ちは、
寝る前の床のなかにまで追ってくる。
生まれなきゃ、そんなもの知らずに済んだのになぁ。
でも、それを感じるというたのしみがあるから、
生まれてよかったとも言えるんじゃないの。
酔っぱらいの独り言のように、
さみしいのがいいか、さみしいのはいやか考える。
行ったり来たりをしているうちに、
じぶんとさみしさが一体化して、どうでもよくなる。

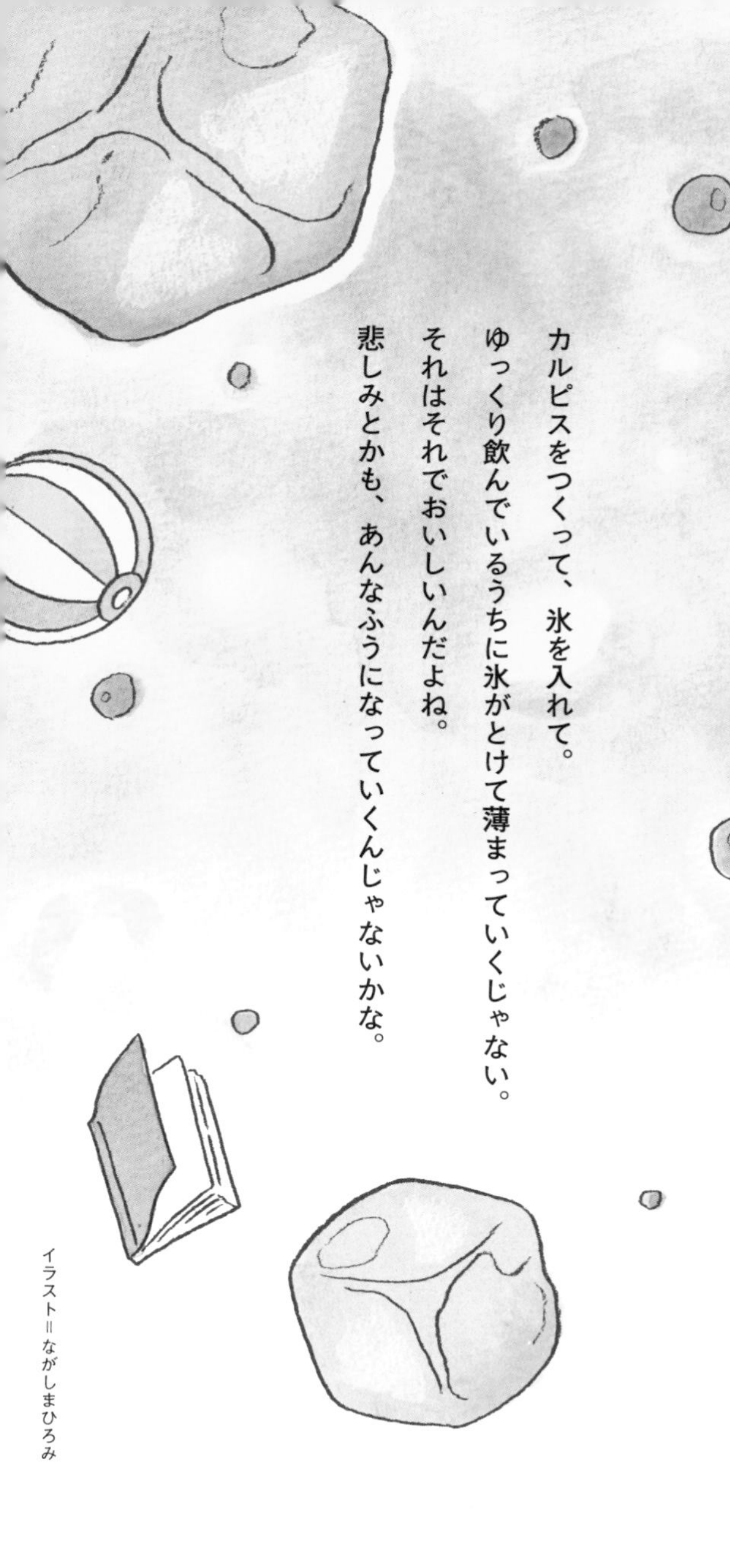

カルピスをつくって、氷を入れて。
ゆっくり飲んでいるうちに氷がとけて薄まっていくじゃない。
それはそれでおいしいんだよね。
悲しみとかも、あんなふうになっていくんじゃないかな。

イラスト＝ながしまひろみ

いやぁ、この塔、
ほっんと大したもんだ。

最初の一投目で
釣れたのはサバでした。
その後、アイナメ、
ソイ、メバルなどを
ずっと釣り続けています。
手が疲れてきた。

高いとか安いとかでもない、新鮮かどうかでもない、
実は、まごころがこもっているか、なんてことでもない。
「うまいもの」は、うまいものだ。
一度出合えた「うまいもの」を大事にしたい。
そんなにしょっちゅうでなくても、巡り合いたい。

おなじ食べものの「おいしさ」についてでも、
若いときは胃に落ちていく重量感とかが大事だった。
大人になると、細胞を撫でていく触感が好ましくなる。
「味わい」の総量は増してきているような気がする。
年をとると「涙もろくなる」ということも、
「味わい力」が増しているということなんじゃないかな。

ぼくにとってのクライマックスは、煮魚だった。
気張ってキンキにしようとしたけれど、
これは品切れということで、メバルの煮付けにした。

このメバルは大きかった。
ごぼうと、しょうがといっしょに煮たメバルは、
肉に張りがあってふっくらしていた。
新鮮な魚でつくる煮魚は、どれもうまいのだけれど、
この店の煮魚が、ぼくにとっての一番なのである。

カウンターに腰掛けて厨房を眺めていると、
煮魚をつくっているときには大きな炎が見える。
煮こぼれることを承知した強火で一気に煮上げるのだ。
濃いめ、やや甘めの煮汁が、魚によくからむ。

どこからでもいいのだが食べやすいところから箸をつけ、
やわらかな身肉の部分をさっそく食べる。
皮や、皮についた脂のところも食べていく。
骨のまわりについた肉もしゃぶってきれいにする。

ひれだとか、しっぽ、かぶと部分のあちこちは
煮汁がつきすぎるので、白いめしの上にのせる。
うまい汁をめしが吸って、これはこれで最高にうまい。
そして、箸でつまめる肉がまったくなくなって、
かぶとの目の下までほじくり終えたら、
残った煮汁をごはんにかけて、それをかっこむ。
食べられるところはもうない、というところまで食べる。

しかし、いつも思うことがある。
煮魚をこんなにたのしくおいしくいただくというのは、
実際には、とてもむつかしいことなのである。
小さな身を探してしゃぶり尽くすことはともかく、
小骨を目でよけ、それでも口に入った小骨を、
舌と歯とでうまく避けて飲み込まないようにすること、
これはかなり修業の要ることのように思えるのだ。

ぼくは、煮魚を食べるときに、みずからの
人間力のすべてを賭けて臨んでいるような気がする。

広島のお好み焼きも好きだけど、
大阪のお好み焼きも好きになった。
そして、東京のお好み焼きも好きだ。
どれも好きだ。お好んでいる。
さすがお好み焼きとみずから言うだけのことはある
な、
お好み焼きよ。

「この人はお好み焼きが好きだろうか」、と、
あんまり相手のことを考えずに、お好み焼きに誘う。
ふだんからお好み焼きを好きだと思ってない人でも、
その場に行って食べているうちに、
「おいしいおいしい」と機嫌よくなってくるものだ。
ああ、お好み焼きが嫌いだという人に会ったことがない。

ニューヨークの家に、友人たちを呼んで食事するとき、
献立がお好み焼きだと、ほぼ全員がよろこぶという。
むろん、日本でお好み焼きになじんでいた客ではなく、
人種も国籍もちがうお客さまたちである。
その話を聞いて、ぼくも、じぶんが
お好み焼き本人であるかのようによろこんだ。

お好み焼きを食べながら、お好み焼きの話もした。

ラーメンを食べようと、大阪にいるときから決めていた。
塩分過剰になるからいけないとわかっているけれど、
飲み干したくなるようなスープを、
舌で味わい、のどを悦ばせ、腹に流しこみたい。
麺の歯ざわりと香りをしみじみと褒め称えたい。
そう思って、どこに行こうかと考えはじめた。
自由なのだ、家人は仕事で留守で、犬もお泊り保育中だ。
東京都内なら、どこにだって行くつもりだ。
タクシーでも、電車でもいい、運転していってもいい。
そう思って、真剣に記憶のファイルを探したのだけれど、
あんがい「あそこかな」という店が3軒くらいしかない。
ラーメンについて、それほどの情報量を持ってないのだ。
森川くんに電話すればいいのだけれど、
唐突に訊いても迷惑だろうなと思ってじぶんで考えた。
ラーメンは、なにをするにしてもひとりがよく似合う。
ここだと決めた店は、定休日だった。

麻布十番、たいやきでおなじみ浪花家総本店の
「ソース焼きそば」の、ソース、紅しょうが、揚げ玉の、
それぞれの香りをくっきりと思い出している。
この味や香りの脳内再現度はすばらしいぞ。
こういうおれって、天才なんじゃなかろうか。
人間の記憶って、すごいなぁ。
こんなところまで憶えていて味わえるんだものなぁ。
なんて書いていたら、青のりのくちびるに触れる感じや、
その匂いについても思い出してきた。

もちを焼くだろう。
しょうゆをつけて海苔で巻くのが磯辺巻きだ。
しかし、みたらし団子くらいの
甘い味付けで食べるのもいい。
考えぬいて、しょうゆにはちみつを混ぜたものをつけて、
それに海苔を巻いた。大正解であった。

いまの時期に福島から送られてくる
「川中島白桃」というのが、
ぼくはそうとう好きです。

最近、和風サンドイッチに興味があって、
今日は「ネギ豚サンド」。
材料は、白髪ネギ、チャーシュー、
バター、からし、マヨネーズ、トースト。
おいしくないわけがない、おいしかった。

昨日買ってあった「一枚流し 麻布あんみつ羊かん」ですが、
食べました。大当たりです！
いま、ぼくは、たまたま歩いていて事前情報なしに
この店のこの羊かんを見つけたじぶんの強運を讃えています。

東でいうアイナメ、
西ではアブラメというらしいんだけど。
この魚の刺身はほんとにうまいなぁ。
食べる機会があんまりないんだけど、
食べたらたいてい、うまいっと思うね。

今日、赤坂で「あんみつ」をがまんした。
たまには、こういうことをする。

冷凍してあった豚まんを蒸しているので遅刻します。
（よいこはまねしないようにね）

明日なにを食べようかと決めて、手帳に書いておくと、
そのときまで、ずっとこころがおいしいよ。

からしが合うものは、マヨネーズも合う。
たとえば、冷やし中華、お好み焼き、焼きそば、
そして……おでん！

好きな食いもののことを書けばいい。
「サバが好き」でも、「プリン！」でも、なんでもいい。
食いたくさせてくれ。

町田のカツカレーが食べたい。
けっこう2日くらい思って生きている。
あれじゃなきゃだめ。

「餃子の王さま」の餃子が食べたい。
明日は無理だし、どうしようかなー、
食べたい食べたい甘えるんじゃありません
そんなこと言ったって食べたいんだもん
おまえはあほか食べたい食べたい餃子だけ二人前食べたい
チャーハンも食べたいけど餃子餃子餃子が食べたい。

まるき！まるき！まるき！まるき！まるき！まるき！
まるき！まるき！まるき！まるき！まるき！まるき！
（バーフバリ絶叫の要領で）

朝から人としてやや粗末に扱われた日には、かつ丼を食うんだ。

昭和七年 下野新聞社主催栃木県商品二十傑第二位当選
栃木県名物
名物まんじゅうまんじゅう
本舗
(有) 朝日屋本店

いなり寿司
とんかつ

先に、たのしみがある人は、そこまで泳ぎ着こうとする。
過去の思い出も、うれしく噛みしめることができるけど、
未来のたのしみも、想像して唾液をためることができる。

あれを買おうとか、あそこに行こうとか、
あの人に会おうとか、あれを読もうとか、
あの映画を観ようとか、あれを食べようとかね、
先の時間、未来の景色のなかに、
うれしいじぶんがいるというのは、すばらしいことだ。

しかし、おたのしみが待ってる場合だけじゃなくて、
きびしい難題が予定されていることだってある。
逃げ出したいくらいつらいことがあって、
その日を怖れながら待っていることだってある。
でもね、そういうときにもおたのしみを混ぜておくんだ。
小さくても、必ず実現できるようなおたのしみをね。

好きなラーメンでも、連ドラの翌週の回でもいいんだ。
それをおたのしみとして混ぜておくと、
うれしい時間も味わえるから、悲愴になりにくい。

1分しか会ってない人によって運命が変わることもある。
あの人この人のことを、たまに思い出してみようか。

ことばにする前の、ことばになってないなにかを、
どれくらい受け止めているかのほうが、
ほんとうは、ことばにする以上に大事なことなのである。
そういう意味では、ぼくが実際に、
なにかをことばにする仕事をしているとしても、
「さぁ、できた」とことばで表現するその前のところで、
いちばん仕事をしているというわけだ。

「誰に宛てて書いているんですか?」と、
わりとよく訊かれます。

長いことやっているうちには、ときどき、
特定のだれかを意識して書くこともあります。
説教にならないように
娘に言ってやりたいと思うことが、
いちばん多かったかもしれません。
ただ、娘は語りかける相手の、最も前の列にいるだけで、
ひとりだけに向けて書くことは、やっぱりありませんね。

ほめたり励ましたりするテーマで、
だれかのことを想像して書いていることも、あります。
そういう場合も、その人に似たような人たちが、
はげまされるとうれしいなと思って書いているから、
やっぱり、だれか個人に向けてではないんですよね。

ひとりじゃなく、複数の人が読んでいるということで、
逆にぼくは気持ちをらくにして書いていられるのです。
読まない自由がある相手に書いていることで、
たいへん助かっているとも言えましょう。

かならず先に好きになるどうぶつ。

そういうどうぶつがいる。
神話のなかでもない。
物語のなかにいる架空の生物でもない。
ほんとうに、いる。

かならず、先に好きになるどうぶつは、
目があったときには、すでに微笑んでいる。

それほど大きくないので、
人を見るときには
どうしても見上げたかたちになる。

「こら」とか「なんだ、おまえ」とか、
ちょっとわるいことを言うと、
微笑みは消さないまま、
すこしさみしそうな目になる。

「おいで」と言ってやると、
はずむようにやってくる。

たぶん、あなたも、ぼくも、
そういうどうぶつだったことがある。

赤ちゃんとか、こどもとか
呼ばれていた時代にね。

20×20

写真＝池田晶紀
（P一三八～一三九、一六三、一六六～一七一）

雪と桜とブィヨンと。

3月21日午後3時16分、うちの犬が亡くなりました。病院に向かう途中の桜並木に、雪が降りかかるというなんともめずらしい春分の日に、家人の腕のなかで眠りながら旅立ちました。

昨年の初秋のころから、皮膚に病変がでて、その治療をしておりました。疑われた細菌でもカビでもなく、わかってきたのが、原因の特定困難な多形紅斑ということで、さまざまな治療を試みてきましたが、今年になって悪化して病院通いが続いていました。症状や対応については省略します。すべて、病院も、ぼくら家族も、ひとつひとつ納得して進んだ一歩ずつです。

ひと月ほど前、症状が悪化し内臓に影響がでてきたため、入院ということになりました。生きるのに医療の助けの要る状態になりました。流動食を鼻から胃へ通したパイプで送りこむことが、常態になってきましたが、それよりも、薬と水分を入れている点滴が外せるようにならないかぎり、退院するのはむつかしいという状況でした。皮膚が治る見込み、元気がもどる見込みはなくはない。面会と、医師との面談を毎日続けていました。運の強いコなんだと信じてはいましたが、容態は快方から離れているようにも感じられていました。

半日間の帰宅が試みられ、とてもうれしかった日曜日。次は休日の21日だという予定でしたが、無理になりました。激しく病状は悪化して輸血も必要になりました。肺の機能も危うくなって酸素を濃くした小箱に入りました。この病気の情報の「重篤な場合」で読んでいたことです。

咲いた桜に雪が降りかかるという休日に、うちの犬は、点滴のパイプから送られた麻酔で眠り、家人の胸に抱かれながら心臓を止めました。ずっといいこだったけれど、このときもいいこでした。みんなにもかわいがってもらって、ありがとうございました。

今日も、「ほぼ日」に来てくれてありがとうございます。治ったら見せようと思ってて、報告してなくてごめんね。

ブィヨンがあっちの世界に旅立ったことは、とてもさみしいのですが、できるだけ悲しみ過ぎないようにしようと思います。先日も「過ぎるのはいけない」と書いたばかりですしね。

あの雪と桜の夜には、小さなお通夜をしました。ぼくと家人と、娘夫婦とで、あれこれ思い出を語り、かわるがわるに、笑ったり泣いたりしました。どの話にも流れているテーマは、「ブイちゃんは、いいこだった」ということでした。いいこって、どういうことなんだかよくわかりません。でも、すっごくいいこだったということについては、お通夜のメンバーみんなが認めていました。

こころ残りなんてありません。とはいうものの、老犬になってからの食べものは、もっと好きなものを食べさせてやりたかったかな。制限ばかりしていて、どれほど寿命がのびるのか。すっかりものが食べられなくなってからの一時帰宅で、カステラに似たおかしをあげたら、生命力のかぎりを尽くしてわしゃわしゃ食べたのです。あんな野性的な姿を、もっと見たかったなぁ。

昔のある日、ブイヨンに留守番させて食事に出て、クルマで帰ってくるときに、助手席にいた妻が、ひとりごとのように「ぶいちゃん」と小声で言いました。そう発音したときの感触をたのしむようにです。その瞬間から、ぼくは「ぶいちゃん」と妻を、いままで以上に好きになりました。

たくさんの人に泣いてもらったりして、恐縮です。こういう方々に愛されて大きくなったんだなぁと、ほんとうにありがたく思っています。

ブィヨンのことで、たくさんのお花やお菓子やことば、いただいてしまって、たくさん感謝しています。みんなの送ってくれたことばや写真を見ていて、どんどん時間が経っているのに気づきます。

一日経って、二日経って、変わったことと変わらないことがあるのでしょうね。じぶんには、まだよくわかりません。家のなかを歩くとき、無意識に、足元に寄ってくるブイヨンを踏んだりしないように、気をつけて歩いていることに気づきます。あと、ヨーグルトを食べるとき、気づかれないように、そっと容器に入れ、そっとはちみつをかけたりしてます。これは、まだ、しばらく続きそうです。

一晩だけ、家に「ご遺体」を安置していたのですが、こころのどこかで「ずっといてもいいんだけどな」ということを思っていました。幽霊で現れるものなら、ぜひお願いしたい気持ちです。絶対に仲よく遊べるはずです、前よりも元気そうに。

ぼくも、これまで、いろんなことばをいただきましたが、こんなにたくさん「ありがとう」を言われたことは、なかったと思います。ブイヨンは、すごいやつです、ぼくはうれしいです。

ブイヨンの行ったところには、ぼくの好きな人や、たくさんの先輩どうぶつがいるらしいんです。だからたのしそうで、みんな行っちゃうのかと思うと、つい、おれも、とか言いそうになって苦笑します。

こころのダメージのはずなのに、からだのほうがつらいね。

雑誌『BRUTUS』で犬の特集があったとき、ぼくもインタビューを引き受けて、犬について話した。

〈犬っていうものの正体は、犬というカタチをした「愛」なんです。〉

　ぼくは、そう言った。そのことばの意味をどうとらえてもらってもかまわない。じゃ、犬が手の届かない遠くへ旅立ってしまったら、「愛」が失われたということになるのだろうか。そんなことも、犬の元気なうちに考えていた。

〈犬がいた分の「愛」が、しばらくそのまま残るんです。しばらくというのは、どれくらいか。うん、つまり、忘れられるまで。〉

　いま、犬の体積を超えた「愛」があふれてしまっている。やさしい人たちの声が、花の数が、思い出ばなしが、いつもの平凡な「愛」を何倍にもふくらませている。だって、おれ、歩きながら犬のこと思って泣き出すようなそんな「愛」は持ち合わせてなかったものね。いまは、そんな「犬のカタチをした愛」のことを、ことさらに感じたり考えたりしたい「恋」の時期にいる。そんな気がするんです。

「犬のカタチをしていた愛」とぼくは、やがては、のんびりと空を眺めるようになるのだと思います。

まだ「恋」の時期ですから、人から見たら変なやつです。ブイヨンと散歩していた道を歩いていると、彼女のリズムを見えないリードの先に感じます。忙しく揺れるしっぽと、サカサカした足取りが見えます。いや、このごろは、のそのそと遅かったぞと思うと、こんどは、鼻を茂みにつっこんで動かない犬が見えます。笑っちゃうくらいにぼくは魔法使いです。いないはずの犬がいくらでも見せられます。そのうち唐突に呼吸が乱れて涙が出てきます。そういうようすを冷静に観察しているじぶんもいます。「犬のカタチをしていた愛」は、落ち着きどころを求めて暴れまくっているようです。

みなさんにお礼を言い足りてませんが、ブイヨンのことを思ってくれてほんとうにありがとうございます。いまこの世にいる犬や猫たちがたくさんかわいがられますように。犬たち猫たち、元気でな。

男は、愛するということを「そばにいてなでていること」だとかんちがいしている、という説があるらしい。犬への細々とした世話をしている人からしたら、たしかに、ぼくらはなでているだけだったかもしれない。ぼくがなでている手から、ぼくの愛が伝わっていると、勝手に思い込んでいたような気もする。

もともとは、ブィヨンのほうからくっついてきて、ぼくがなでやすいようにと、身をまかせていたのだ。呼ばなくても、いつのまにか脚の間に潜っていたりね。こちらもいやじゃないから、いつもくっつくことになる。仔犬のころに、寝る場所は別にしていたはずだったが、ぼくは、わざとうっかりしたふりをして、ブィヨンが寝ているはずの居間から寝室へ、すべてのドアを閉め忘れたようにして誘い入れた。そのままだと、人間のおかあさんのベッドに上がるのだが、やんわりと追い出されてしまう。つまり、ぼくのベッドに引っ越しをさせられるのだ。むろん迷惑ではない、こうなるのを待っていた。こういうことを何度かくりかえし、ぼくと犬はいっしょに寝ることになっていった。寝室に連れてくるのではない、人が先に寝るのである。1分くらいすると廊下を歩く足音が聞こえて、寝室の自動点灯のあかりが周囲を少し明るくする。ブイヨンは、ぼくの寝ているベッドに飛びこんでくる。けっこうなショックがあるが、望んでいたことだ。すぐに布団のなかに潜りこみ、ぼくらは人犬一体となって安らかな眠りにつく。

やがて老犬になってきた。ベッドにジャンプできないようになって、しばらくは、やってきたらからだを持って上がらせていたけれど、やがて、居間でひとりで寝るということに落ちついた。寝やすくなったのだけれど、ぼくはさみしかった。いっしょに寝てない、くっついてこない、皮膚の病気が進行してからは、なでられる場所も減った。
くっつく、なでる、いっしょに寝る。そういうことだけで愛しているつもりだったぼくは、実はほんとに愛していたんだと、知ることになった。目の前から消えてさえも、ぼくらはすっごく仲よしだ。

そうは言っても、まだ一週間も経ってないのだ。ひっくり返ったこころが元に戻るにはまだ早いだろう。頭は、ことばを使って組み立てようとするから、こうして文章を書いているかぎりは、落ちついたものだ。

あったことを、もとに戻す方法は、もうひとつもない。どれほど深い悲しみを感じたとしても、ブイヨンにとってなにかの助けになるということはない。それはわかっているという前提で、悲しんだりしている。最初の日には、「悲しみじゃないよ、さみしさだよ」と、言ってたような覚えもあるけれど、どうやら両方だった。みんなのように笑うことも話すこともできるけれど、ほんとうの明るさを取りもどすのがむつかしい。生まれてはじめて頭痛というやつを味わっている。食べものも食べているけれど、食べるうれしさがない。

ぼくらが、元気でいることをブイヨンも望んでいた。だから、元気でいようと決意はあるのだけれど、どうにも身体のほうにその意志が伝わってくれない。世間で、こういうことを「ペットロス」と言ってたのか。この感覚自体をたのしめるようにしよう。いましかない感じを、味わえばいいのだと思う。

そう思って、ブイヨンの大好きな代々木公園に行った。公園を犬を連れずにひとりで歩いてみると、ずいぶんと広い公園だったということに気づく。ぼくは記憶力のよくないほうだと思うのだが、いろんなことをよく憶えていて感心してしまった。特に、まだ若い犬の時代に、ボール投げをした場所。ノーリードは違反だと知ってからはやめたのだけれど、いまひとりで眺めると、よくできた模型のように見える。このジオラマに、走るジャックラッセルテリアを置く、そしたら、すべてが完成するのになぁ。

桜の咲く公園に、たくさんのたのしそうが浮かんでいる。そこを縫うように歩くひとりぼっちのおじさんが、ありゃりゃ、じぶん自身というわけだ。そのおじさんは、落ちていた長い木の枝を拾って、そのまま家まで持って帰ってきた。犬が大よろこびでくわえただろう長い立派な枝だった。

家人の家事への奮闘ぶりがすごい。もともと掃除や洗濯をよくしていた人だけれど、このところは、2倍（当家比）くらいしていると思う。もともと、そういうタイプの人で、悲しみに浸りきるようなことはしたくないらしい。どういうときにも、そうやって乗り切ってきた。ひとりでいるときにどうしているのかは、わからない。いや、まるっきりわからないわけでもないけれど、見せている顔が、その人の顔だと、ぼくは思っている。

ぼくは、もうちょっと弱虫で、仕事を減らしてもらってなんとかしのいでいる感じだ。気持ちを固めて家を出たら、それなりに仕事する人間になっているはずだ。ほっといたらいつでも眠ってしまいそうなことと、いままで縁のなかった頭痛があることは、どうにも予想外のことだったが、まだおさまらない。こころよりも、身体にでるとは思いもよらなかったなぁ。

この機会に、うちの犬はいいこだ、とか、かわいいとか、遠慮もせずに言いまくれることには、けっこうな快感がある。おかげで、いろんな人たちも素直に、「うちのも、いいこなんですよぉ」と言ってくれる。これはいいことをしているかもしれない、と思っている。

感情のやるせないうねりは、そのままは解決できない。だから、人は、物語を紡いでそのなかに入り込む。虹の橋や天国やお空という「いいところ」を見つけて、その場所と、いま生きているこの地上をつなげて、じぶんなりの物語を描いていく。これは、だれでもができるすばらしい芸術だと思う。ぼくらの物語も少しずつ生まれてきている。ブィヨンは、どうやら岩田さんの家にいるらしい。先に「あっち」へ行った人や犬や猫たちは、みんなやさしくて、ブィヨンに会いに来てくれる。うちの犬は、人気者であることがけっこう好きだった。満面の笑みでみんなに愛嬌を振りまいていることだろう。「ブィヨン、こっちにいるときより忙しいのよ」と、家人は、笑いながらだれかに電話していた。

早朝に、ベッドに入ってうつらうつらしているとき、急にブィヨンのことがかわいくてしょうがないという気持ちになって、鉄砲水のように涙が出てきた。ありゃぁ、まいった。すっかりふつうの生活に戻ってるつもりなんだけどなぁ。

人に伝えなければという役割があるおかげで、姿勢をくずさずに文章を書けること。これは、ずっと胸に秘めているよりも、ずっとらくなことだと思う。ただ、書かずに沈黙したままのじぶんも、まだここにはいる。

京都の家にいるとき、なにかの配送の人が来て、インターホンのチャイムが鳴るとそこからが大変だった。実際に戦ったら弱いに決まっている「番犬」さんが、トタン屋根に雹が降ったような音で吠えたてる。落ちつかせるために抱っこして受話器で話すことになる。あれは、ほんとうにうるさくてめんどくさかった。

東京で地震があるときにも、激しく吠える。ただし、それは震度3以上の場合だけである。2011年のあの日に、そうとう懲りているのだと思う。震度2だと、だいたい眠ったままである。

ブイヨンは、おおむね無口な犬であった。仔犬としてうちに来たとき、夜鳴きは覚悟していた。しかし、鳴いたり吠えたりしなかった。毎日、無口のままだった。ぼくらは、「このこは、吠えない犬なんじゃないか」と、不思議なことのように語りあった。

家の家具やらスリッパやら電気のコードやらを、幼い尖った歯で噛みまくるのではないかと思って、ある程度は許すつもりで準備もしていたが、どこも噛んだりせずに、そのまま育っていった。

散歩やら、ごはんやおやつやらを要求するときも、吠えたてることはなかった。たいてい、近くに来て、目で合図するだけだった。強くしてほしいことがあるときには、蚊の鳴くような声で、「くぅーん」と言った。新幹線に乗ってケージのなかにいるときにも、ずっと静かにしていてくれた。タクシーでも「わんちゃんいたんですか！」と言われた。

あんなに無口で、人のことばをしゃべらない犬が、それなりに幸福に生きていけるというのはいいことだ。犬が無口であるがゆえに、人間のほうが、その思いを汲もうと勉強していくからなのだろう。つまり、ぼくらは無口な彼女の思いを想像することを、ずっとたのしく習い続けてきたということだ。そんなことでもまた、ブイちゃんありがとねと言いたい。

そう。桜が咲いてて、雪が降っていた。あの3月21日の15時16分から、とにかく一週間、ヘンになってもいいかなと思って過ごしていました。ここでも、ブイヨンのことばかり書いていました。思いつくままに、犬のことを書いていて、実際に一週間を過ぎたあたりから、「どういうことを書こうかなぁ」と書くことについて考えるようになりました。つまりは、いつもの日々になってきたということです。

ブイヨンという犬のことを、忘れてきているのでもなく、思いが減っているというわけでもなく、彼女が生きて暮らしていたときのじぶんに、少しずつ戻ってきているのでしょう。

笑われるかもしれませんが、ぼくはネガティブな人間で、ブイヨンが家にやってきてから、あんまりかわいいものだから、心配になったのです。「これほどにこころを奪われているこのコと、いつか別れることになるなんて……。しかも、そのときは、かならずやってくる。おれは、どうなってしまうのだろう？」と考えました。ずっとそのことについては考えていましたので、いざそのときがきたとき「これか」と思いました。そこからは、すべてが未知の世界でしたが、逃げたりごまかしたりせずに、目を開いていようと思っていました。

この間、幸いと言っていいでしょう、ぼくには、ここに毎日のなにかを書くという仕事があったので、じぶんに起こったことをできるだけ整理して伝えました。思ったこと起こったことをすべて書くのは無理ですが、ともだちと立ち話をする以上のことは話せたと思います。おつきあいくださって、ありがとうございました。この先は、思いついたら通常モードで犬のこと書きます。

Love DOGS. Love CATS. Love YOU.

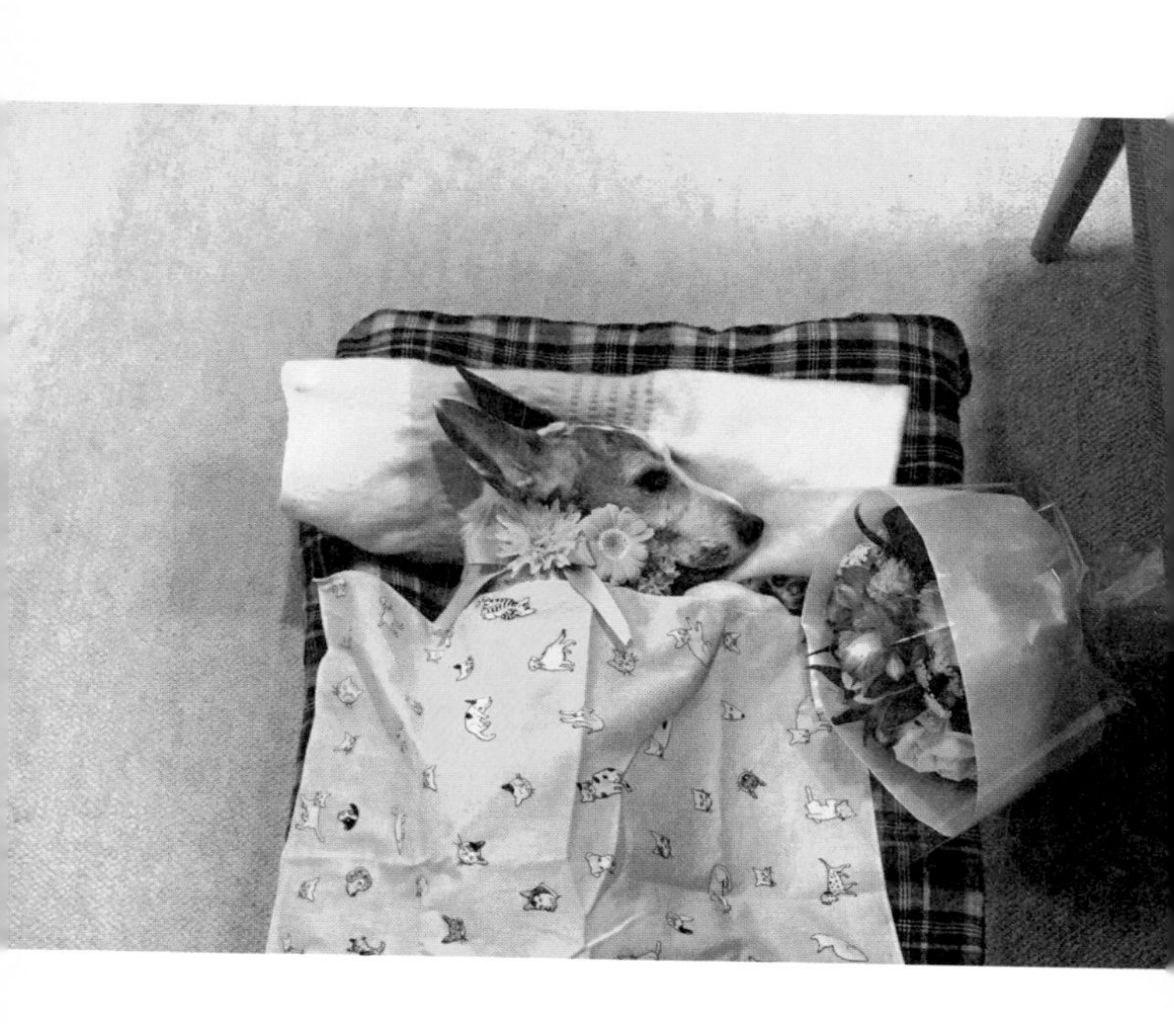

昨夜は暖房を消して
いっしょに寝ました。

みなさん、
ありがとうございました。
おとうさんは、もちろん
通常運転です。
みんながいっぱい
かわいがってくれたの、
ありがとうございます。

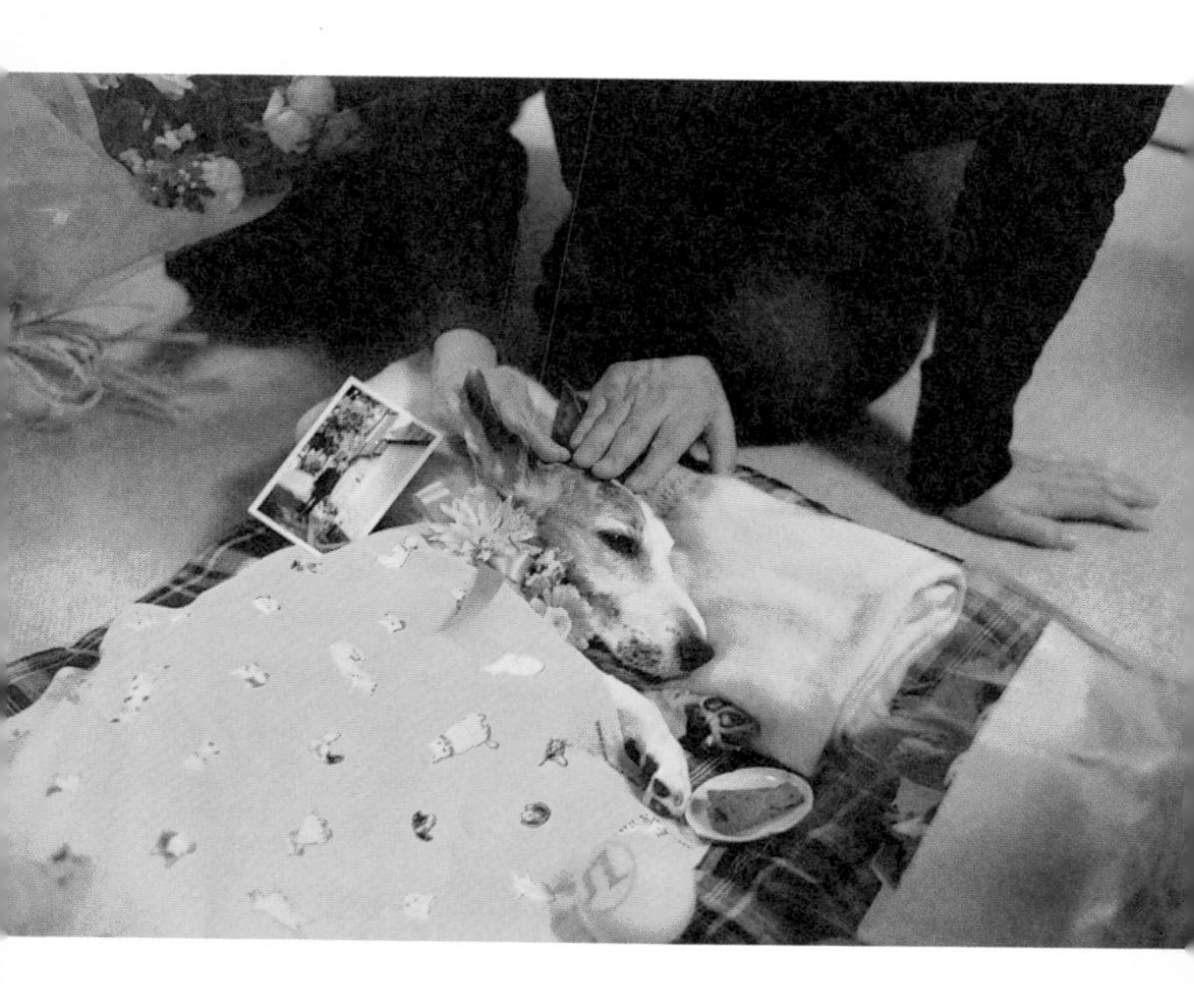

まだ、やっと咲いていた
桜の根もとに、
ブイヨンの骨を
少し埋めました。

毎年のように京都にやってきました。庭のいつものところにゆりが咲いていました。コーラスグループのマイクのように並んでいて、なんだかおもしろいので写真を撮りました。それを見た家人が、じぶんのスマホを出してきて、「同じ写真を去年も撮ってたよ」と見せてくれました。しかも、京都に来た日も同じだったらしいです。新幹線の席の足元にいるブイヨンの写真もありました。「ああ」と、ぼくも思いました。だいたいのことは、毎年同じだけれど、同じじゃないこともちょっとあるよね、と。そのちょっとが、ずいぶん大きいんだよねぇ、と。大きい大きい、8キロの体重の何倍も大きかったです。

「お盆だから、もう帰ってきてるんじゃない？」と、よく人に言われるのですが、だったらうれしいですね。先にいってる人も、新参者の犬も、近くに来てくれているのだとしたら、たのしいなぁ。五山の送り火の夜まで、にぎやかに過ごしましょう。

岩田さんは、いつもブィヨンが飽きるまで、
なんどでもボール投げをしてくれました。
もちろん、ちゃんと話もしながら。
だからブィヨンも岩田さんのことは、特に好きだったのです。

南無阿弥陀佛
爲
南無阿弥
南無阿弥
南無阿弥

東京にいても、京都に来ても、犬の思い出でいっぱいです。この場所では、こんなことしたっけ。こんな季節には、こういうことしていた。こんな表情で、こんな格好をしていた。家の近所で歩ける道は、ほとんど犬と歩いた道です。どの場所を、どんなふうに歩いたかよく憶えています。いやいや、悲しいこととして言っているのではないです。もらった思い出の数や量に感心しているのです。

犬を撫でたい
手がさみしい
前足　頭　首の下

背中　お腹　おしりあご
犬を撫でたい
肌さみしい

犬がいなくなってから、はじめて京都に行ってきた。着いてからも、ひとつひとつが、強い「不在」のイメージに結びついてしまって、なかなかふつうにしていられない。京都にはブイヨンとの思い出がずいぶん多いからなぁ。

着いた夜に食事に行った料理屋さんで、その時間はぼくらふたりだけの予定だと聞いていたが、座布団が三つ用意されていた。ややあって「ここ、もうひとりお客さま?」と尋ねたら、「はい、今日はブイヨンちゃんのお席です」と、やがて陰膳が運ばれてきた。最後に口から食べたカステラ、憧れのヨーグルトと、ちいさな花瓶に挿されたタンポポという御膳だった。こらえたけれど涙が止まらなくなった。ご主人と女将さんと、うちの夫婦と四人が泣いていた。

じぶんの年齢が増して、上手になったことに、「亡くなった人と話せる」があります。話せるようになるんです、その、別に、超常現象というようなことじゃなくね。

この世のことばを話す人じゃないのに、ちゃんと話し相手になってくれるのです。うれしいしたのしい時間です、そして緊張感もあります。死んだ人は死んだあとも静かに生きてますよ。ほんとはお墓や仏壇でなくても、デスクでもソファでも、話そうと願えば、かならずやってきてくれます。報告をしたりね、むだなことだとかも話したりね、日記をつけることなんかにも似てるかもしれない。

今年は、いつものともだちばかりじゃなくて、犬のブイヨンとも、よく話してます。もともと無口なやつだったのですが、目で話します。あんがいやさしく相手をしてくれるものなんです。

聞かれるたびに、「平常運転中」を強調しているが、平気のこころのどこかに、穴が空いているらしい。なにかの拍子に、犬のことを思い出して、かわいくてしょうがないという気持ちがあふれてくる。それにつられて泣きたくなったりもして、これは困ったなぁと思ううちに泣き出す。他人事のように、それを見ているじぶんもいるので、なにやってんだよと笑いたいことでもある。悲しいのでもない、さみしいに近いのだけれど、泣き出したいことの原因は「かわいい」なのだ。かわいくてかわいくて、こころが痛い。妙な気持ちだなぁ、こういうのははじめてだ。やっぱり恋みたいなものなのだろうか。つまり、これはのろけであるのか。

夜中に音楽を流しながら原稿を書く。今夜も、そうしている。それなりに大きな音量で歌や演奏が聞こえている。これは、いままでなかったことだったと気づく。これまで、ぼくは犬のいる居間で仕事をしていたので、寝ようとしている犬に迷惑になるからと、音楽のボリュームをしぼって流していたのだった。犬にうるさいと文句を言われたおぼえもないのだけれど、ぼくの自己満足として、音を小さくしていた。

そうだね、ブイヨンがいないおかげで、ぼくはまたすこし自由になったのだよ。あんまりうれしくもない自由を得た。そういうこともあるものだと知る。

あのころは、毎日のように他界した犬のことを書いていたが、どこかで決めて書くのをやめた。なかなか、去る者は日々に疎しという具合には忘れられるものではないけれど、忘れないのがいけない、ということでもなさそうなので、ひさしぶりに犬のことなんかを書くことにした。当初から言っていたことだけれど、悲しいのではない。悲しくはないのだけれど、さみしいという気持ちがある。

14年以上も、同じ空間で過ごしてきたのだから、いて当たり前の景色のようにもなっているわけで、その景色を「修正」して過ごすのにも、けっこうな時間がかかるだろうということはわかる。特に、帰宅したときに「もうひとり」がいないのは、わかってはいるのに、まだこころが納得できていない。

留守番をさせていた日の夕方に、家人との間でどっちが散歩させるかについて連絡をとりあう必要もない。急ぎ足で「散歩、待たせてごめん」と帰ることもない。温泉でも、海外旅行でも、いくらでも計画できるはずだ。だけど、そんなふうに得たはずの自由がうれしくもない。

できることなら、忙しい夜に散歩に出ることや、うんこを拾って持ち歩くことや、おしっこシートをまとめて捨てることなんかしてみたい。ちっともうれしいことじゃなかったはずなのに、これはいったい、どういう気持ちなのだろうと思う。ろくでもないところも含めてなにもかもが、かわいくてかわいくてしかたがない。

ぼくが食事をしているときに、ほしそうに見上げてくれ。ピーピー鳴るおもちゃを噛んで、うるさくしてくれ。とか言ってますけど、おとうさんたちは、元気です。いつも思い出させてくれて、ありがとね。

ずっと言ってることだけど、「犬というものの正体は、犬というかたちをした愛」であるという思いを強くしています。もともとの、目に見えるかたちでなくなったブイヨンは、まだちゃんと「愛」としてぼくらのそばにいます。亡くなって、「愛」が無くなったのではなく、見えないかたちの「愛」になったのだとわかりました。

TOBICHIの
片付け時間に間に合った！
ブイヨンへの手紙が
部屋の壁ぜんぶに
隙間なく貼られていました。
一人だけで、
展示をゆっくり見ました。

ひと月ほど前から、たくさん話し合ったり考えたりして、真剣に準備してきたことがありました。わざわざ言うのも大げさに思われるかもしれませんが、ブイヨンのことで、たくさんの人たちに、たくさんの「こころ」をいただいたので、ブイヨンの「月命日」の今日という日に、ぜひ、お伝えしておきたかったのです。

ブイヨンは、3月21日に空へ旅立っているのですが、昨日の夕方、年の離れた妹分がうちに来たのです。名前はブイヨン（Bouillon）のブイを受け継いで、「ブイコ（Bouico）」といいます。5月7日の生まれだそうですから、今日で106日目かな。ブイヨンがうちに来たのと、ほとんど同じくらいです。ニコちゃん時代のブイヨンに、ほんとによく似ています。

じぶんの年齢から考えて、ブイヨンが最後の犬だと本気で思っていました。犬の世話をするにしても、漠然と考えていたのは、いつか保護犬の預りさんをする程度のことでした。

このちびちゃんを、幸せな家族にするためには、ぼくらの生き方考え方の大きな再構築が必要でした。検討と相談とを、真剣に繰返しました。出発点は、いちばんたくさん面倒をみる家人が、ブイヨンみたいな仔犬を探し出してくれたことでした。ぼくが反対なら諦めると、わりとさらっと言うのですが、ぼくだってねぇ、問題がないのならば犬と過ごす気は満々なわけです、さみしかったし。

もっとも大事なぼく自身の年齢の問題については、よくよく考えたら家人が10歳も年下だということと、さらにその後ろ盾として、どうぶつ好きの娘の夫婦がこころよく引き受けてくれたことで解決しました。協力している愛護団体には、保護犬を預かるというより、いままでと同じような援護をしていこうということで、お空のブイヨンも含めた相談がまとまったのでした。で、経験豊かなブリーダーさんのところで、姉妹たちと100日も遊んでから、うちにやってきた、と。

また、20年近く、うちにブイちゃんのいる暮らしです。犬がいなくて自由になった……その自由は、もういいです。いろいろ省略しましたが、夫婦というのはわるくないです。

ブイコがさっき小さい声でスンスンいってたので、ちょっとケージから出してやったら、カーペットでおしっこしてしまった。掃除してたらはしゃぎはじめて、いままでいちばん元気よく走り回った。ちょっと戦いごっこをしてやった。よろこんでいた。なんてたのしいんだ。

人が「愛」と散歩をしてる。
「愛」が舌を出して歩いてる。

まだ1日しかいないけど、
ちょっと仲よくなってきたね。
おっかなびっくりなんだけど、
動きが活発に
なってきたもんね。

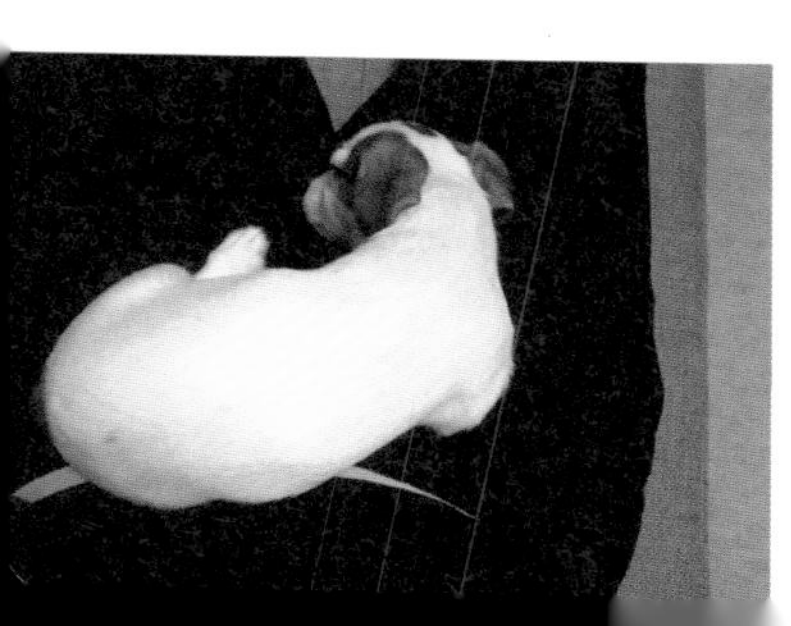

若いときの、ぼくの就職活動の話をします。まず、基本的に、ぼくの就職活動はないも同然でした。「コピーライター養成講座（宣伝会議）」で、黒須田伸次郎先生と、山川浩二先生にお世話になり、「あそこ行ってみたらどうだ？」と、「イトイくんみたいに髪の毛の長いのがいる会社だよ」と、原宿の小さな制作プロダクションを紹介されて、そのまま、その会社に入ることになりました。コピーライターの上司がいるということで、その人に教わりながらがんばろうと思ったら、そのコピーライター氏は、ぼくの入社したその日に、「話があるんだけど」と新入社員のぼくを呼びつけ、この会社を辞めることを、伝えてくれました。おもしろいことも、つらいことも、いいかげんなことも、いろいろありましたが、ぼくには夢とかなかったので、そのままこの会社になんとなくいるつもりでした。▼だれでも応募できる広告のコンペに参加して、それなりに派手に賞をもらったら、一社だけから、「うちに入る気はないか」と誘いを受けました。面接に行ったのですが、その会社の人たちが、いまで言う「上から目線」だったのに腹が立って、「ここには入りませんから」と言って、帰ってきました。なんで、いそいそ出かけたんだろうと、浮かれてたじぶんにも、ちょっと怒りました。▼妄想のなかで入りたかった会社はありました。資生堂のPR誌『花椿』の編集部と、マガジンハウスの『POPEYE』や『anan』の編集部でした。どちらもいわば高嶺の花で、玄関に立つこともなく、就職活動や、募集に応じたこともありませんでした。そのうち、ぼくのいた会社はつぶれて、フリーになったというか、ならざるをえませんでした。▼あのときのぼくに『花椿』の仕事させてみたかったなぁ。という気持ちが、勝手になんとなくあります。入社しなくても、なんかその環境でやってみたかった。けっこう引っ込み思案のじぶんだったけど、関係さえできれば、いい仕事したと思うんですよねぇ。

◆

久しぶりの雪で思い出したのだけれど、ぼくは小学生のころにはスキーをしていたのだった。生まれたところの冬はからっ風が吹くばかりで、ほとんど雪なんか降らなかったから、育った土地が雪国だったということではない。スポーツにまったく縁がなくて、本を読んでるか酒を飲んでいる男だった父が、どういうわけかスキーだけはするのだった。裁判所の職員の人たちとのバスに乗り込んだり、戦後の闇の買い出しみたいに混雑した汽車に乗って、草津やら万座、越後中里やら湯沢、水上、天神平、苗場、なんて名前を、いまでもよく憶えている。つまり、ずいぶん何度も行っていたということでもある。父のスキーには、まるで冗談のようだけれど、「ウイスキー」が付き物だった。スキー場では飲んでなかったような気がするけれど、行きや帰りや、夕食の後には、だいたい酒を飲んでいた。いっしょにいる小学生にとって、これが、どれほど迷惑なことだったかということについては、いくらでも長くなってしまうので、書かないことにする。▼小学生にスキーを教えるのが、得意だったわけもなく。父は、無理なことをさせてはぼくにスキーを憶えさせた。ひとりでは乗れないリフトに、ぼくをなんとか乗せて、転びながらリフトを降りた小学生を置いて、じぶんは先に滑り降りて見えるところで待っている。ボーゲンをやっと覚えた程度の小学生は、滑っては転び滑っては転びしながら、父のいるあたりまでようやくたどり着く。また、父はそのまま斜面を降りていく。ぼくは転んだり立ち上がったりしながら、少し泣く。悲しいのか口惜しいのかわからないが、涙が出た。なんでこんな目にあわなきゃいけないんだ、とか、もう駄目だとか本気で思ったりしながら滑り降りた。あのときの気持ちは、まだ憶えている。嫌なことも山ほどあった父とのスキー旅行だったけれど、不思議と、父を嫌いになることも、スキーを嫌いになることもなかった。あの頃の父は、たぶん四十歳そこそこだったと思う。▼スキーからも父親からも遠くなった老人が思い出している。

冬の京都というと、まず「寒いでしょう?」と言われる。底冷えがするんですよね、とか、盆地だからねぇとか、もう、円グラフで言えばパックマンくらいの感じで、「京都といえば寒い」の話になってしまうのだ。▼京都にいない人が、京都は寒いと想像するだけではない。そこに暮らしている人も「京都は寒おす」と言いたがる。底冷えしますとやや自慢そうに言う。足の先から冷えが上がってきますなどと言う。▼しかし、底冷えだのなんだののイメージはともかく、日本全国の気温を表した地図などを見てくれないか。京都が6度のとき、富山は2度だ、東京は9度だけれど、仙台は2度だ、秋田は0度で、青森は-2度で、札幌は-3度。福岡も6度、鹿児島が7度、那覇は格別で17度。京都は、気温としては、言うほど寒くないのである。しかも風の強い盆地生まれのぼくなんかにしたら、風が強くないだけ京都の寒さはありがたいのである。▼前々から、このことについては、言ってみたかった。「冬の京都は寒い」ついでに「夏の京都は暑い」は、なんでだか知らないけど、みんなの幻想なのである。京都なんか、ちっとも寒くないぜ。ぼくの知ってる気仙沼の人たちは、「気仙沼は海に近いから暖かい」とよく言う。そうかもしれない、東北の内陸部に比べたら暖かい。でも寒いですよ、じゅうぶんに寒いと言う資格がある。▼おなじみの方はご承知のことと思うが、ぼくは自他ともに認める寒がりおじいさんである。しかし、気仙沼に向かうときの覚悟に比べたら、京都に行くときなんて博多に行くくらいの感じだぜ。それと、どこだって冬は寒い

ものなんだから、ある程度、寒さについてはあきらめなきゃだめだよね。

ぼくは、小さいときから「かわいそう」と思われるのが、なによりもいやだった。「かわいそう」と平気で言う人のことを、ご親切にありがたいとは到底思えず、早くそこからいなくなってくれと思っていた。あんたが言ってるそのことばが、ぼくの、いちばん言われたくないことばなんだと怒っていた。▼ぼく自身が、なにかについて「かわいそう」と感じることはないのかと言えば、どういう場合かと具体的には思いつかないのだが、なくはない、と思う。ただ、「かわいそう」と感じることを、できるかぎりなくそうとしているような気がする。理由はおそらく、ぼくが「かわいそう」と思われるのを、ほんとうにいやだったからだ。▼先日、気仙沼のたくさんの友人たちとの食事会のとき、そういえばと気がついたのも、それだった。ここにいるすべての人たちのこと、ひとりひとりについて、「かわいそう」と思ったことは、一度もないなぁと。ぼくは、口に出してそれを言った。「だって、かわいそうじゃないもの」と笑う人がいた。「かわいそうでやってたら、続かなかったんじゃない?」と、ことばを続ける人もいた。そうなんだ、きっと、気仙沼のなかまたちも、「かわいそう」と言われたくない人たちだったんだ。ぼくらは、現実の人たちとつきあうときに、「かわいそう」と言われたり言ったりすることが、まったくないように、考えを組み立ててきたのだろうか。▼しかし、映画を観ているときにも、ぼくは「かわいそう」とは思わないようにしているのか。ああ、しているかもしれない。「わぁ…きっついよなぁ」とは思うのだけれど、「つらいよ、これは」とも思うのだけれど、「かわいそう」とは思わないようにしてるかもしれない。なんか、こういう考え方の大もとは、「じぶんにもおなじことがあるかもしれない」かなぁ。

報道写真。松本大洋さんのライブドローイング。

「床屋かなぶん先生のほうの即売会、うまくいってるかな？ ぼくはもう、こんなふうに大活躍してるよ」と、平成よっちゃんが言ってます。

きつねとかたぬきが、人を化かすっていうじゃない？
昔の人は、本気で信じてたと思うんだよね。
いまからぼくらが、たぬきに化かされようとしても、
なかなかむつかしいことだよ。
ぼくらは、たぬきに化かされなくなったけれど、
これはたぬきに化かされる能力を失ったともいえるね。
そう考えると、たぬきに化かされてみたくもなる。
たぬきの暮らしてるところに、
御神酒徳利なんかをぶら下げて訪ねてみるのかな。
なにかたぬきの欲しがりそうなものを、
こっそりふところに隠して、千鳥足で歩こうかな。

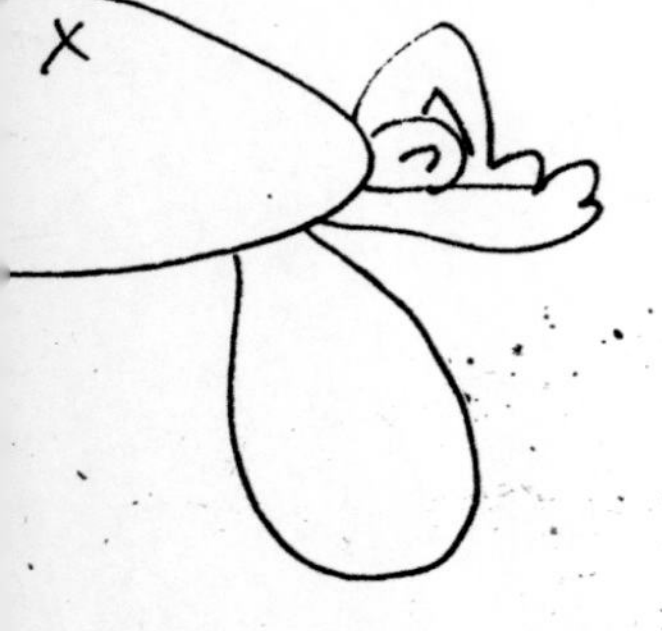

イラスト＝南伸坊

そしたら、きれいなおねえさんに化けたたぬきが、
「あら、そこの粋なおにいさん」なんて、
声をかけて近づいてくるかもしれないよね。
いや、それはたぬきよりも人間である可能性が高いね。
こっちはたぬきに化かされたいんであってさ、
ただの人間のきれいなおねえさんなんて眼中にないよ。
肥だめの風呂に浸かったり、小便の酒を呑みたいぜ。
化かされてる間の夢心地を味わいたいんだからさ。

ゲストに来てくれたみうらじゅんの都合に合わせて、トークイベントのあと、そのまま東京に戻ることにした。ふたりで新大阪駅へのタクシーに乗って、ふたりで切符売場にいって乗車時刻の変更をして、ふたりで柿の葉寿司と焼き鯖寿司を買って、隣り合わせの席に座って、弁当を半分ずつ交換して、相も変わらぬ無駄話をしながら帰ってきた。70歳になろうとしているぼくと、60歳になったみうらと、考えてみたら、老人のふたり旅なわけである。ずいぶん、長い時間が過ぎていたのだなぁと、どちらもしみじみしながら鯖などを食べていた。ぼくらが知り合ったころは、まだみうらじゅんでなくて、三浦純という美大の学生だったわけで、ぼくはぼくで、三十そこそこの生意気盛りだった。それぞれに、まぁ、それなりに山あり谷ありだったけど、互いに生き延びてきたからこそ、なつかしい話もできる。年齢は10も離れているのだけれど、40年近くもの間、「あいつはこういうことしてる」と、仕事ぶりを見てこられたのは、幸福なことだ。

こんなに真剣に、しかも口数多く、カキフライが冷めるのも無視して熱弁をふるうみうらじゅんは、初めて見た。

世の中にはいろんなコンサートがあるのですが、ひとりずつの人を追いかけて長いこと観ていると、アーティストの「セットリスト」の変遷には、わりと似たような傾向があると思うんです。

①まずは、デビュー期、新人期です。これは、持っているありったけの曲を演ります。ひとつのコンサートを完成させるだけの曲数を、持っているだけですごいことだとも言えます。だから、カヴァー曲などが混じることもあります。

▼▼▼▼

②続いては、知られた曲に、新曲が加えられます。自信作であろうが、迷走中であろうが、新曲を入れます。聴衆からは、あたたかく迎えられる分量で、新曲が入る。

▼▼▼▼

③さらに続くと、新しい曲よりも、新人当時の曲のほうに客席の要望があったりして、「いつまでも、オレは同じことやってないよ」と、意地になっているかのように新曲の割合を増やします。しかし、昔の曲のほうがウケたりして……悩ましい時期。

④
それでは、と、客席が望むセットリストとはどんなものなのかと、アンケートなどをとって、「名のある歌」と「通好みの歌」で構成されていく。ここまでたどり着いたらもう、すごい大物になってます。でも、新曲がちゃんと入っているのが、最高のかたち。

▼▼▼▼

⑤
そして、この先はもうありませんというのが、新しいとか古いとか、知ったことじゃありません段階。どういうコンサートにするかを自由に考えて、古い曲も新しく歌えちゃうし、知られてない曲も演る。新曲は新曲で、やりたいからやっているだけ。

▼▼▼▼

昨夜、矢野顕子「さとがえるコンサート」でしたが、もともとヤノは、ずっと⑤だったのに、さらに、⑤を撹拌して煮詰め、新素材加えて特製にした感じ。歌手であり演奏家でありプロデューサーであるヤノが、「矢野顕子にもがんばってもらおう」と、「おもしれぇぞう」というコンサートを企画して、バンドやゲストをまじえて大盛りにした感じでした。

カメラが見ているなと気づいたら、
すかさず平和のサインを送る歌手。

iPhoneのケースに入れてた
切り抜きを、もう外します。
こんなに役に立っちゃうとは
思いもよらなかった。

このごろの時代の、ものすごい息苦しさは、
アレルギーの症状に、ずいぶん似ている気がします。
「寛容」とか「包容力」みたいなものが、
人が生きるのに大事な要素だと認められてないことに、
原因があるんじゃないかと、ぼくには思えるんですよね。
寛容はおまけの加点じゃなく、生きるために必要な力だと思う。

白か黒かで、すっきり分けられるものじゃない、と、
ほんとに多くの人が語っているのだけれど、
いろんな場面で白か黒かを分けたがる風潮になっている。
これ、このままどこまでもその方向に行くのかなぁ。
もし、そういうほうにどんどん進むのだとしたら、
ぼくの生きる意欲は、かなりしぼんでしまうだろう
……と言うだけで、「あなたは悪を許すのか」とかね、
「いい加減にしているから世の中が悪くなる」とか、
言われちゃうんじゃないかな。

じゃんけんぽんで、人々を紅白に分けただけでも、
人はじぶんの属してないほうの集合を敵扱いしたり、
多少ずるいことをしてでも、じぶんの属している集合を
有利に導こうとしたりします。
集合のうちの、ほとんどがあまり意味のない分類なのに、
味方と敵と名付けて、戦争までしちゃうんだよなぁ……。
敵と名付けないと、乱暴なことはやりにくいんだろうな。

どちらかといえば、ぼく自身はなにかの集合に
属しているという意識が薄いほうのタイプです。
高校の先輩とかに偉そうにされるのは嫌です。
気の合う人がいたり、そうでない人がいたりと、
それだけのことだと思っています。
ここらへんのことを、ふつうにことばにして言うと、
やや冷たいように思われてしまうかもしれません。

考えてみたら、サスペンスものって、
基本的に「後味悪い」ようにつくってるのかもしれない。
「えぐみ」というか「救いがない感」というか、
そこらへんの感想を持たせることが、
完全に娯楽のジャンルとしてあるんでしょうかね。
ここらへん、世の中に実際に起こる「いやなニュース」が
大衆の娯楽になってることと共通してるのかもしれないな。
いつの時代も人間の求めるものって、ほんとに複雑ですね。

「宿題にしましょう」と持ち帰った問題は、
はじめようとしないことが多い。
ほんとうは、難しそうな問題は、宿題にする前に、
糸口だけでも探しておくほうがいい。

たくさんの人が「表現したい」という時代に、
それをどうにかする場が、ネットの上に限られるのは、
なんだかもったいないような気がするなぁ。
人間がスマホをながめてる時間は多くなるばかりだ。

ほとんどの人は「集中しているふり」のベテランである。
他人には「集中している」と「集中しているふり」の
見分けなんかつかないであろう。
「休むときはしっかり休んで、集中してはたらこう」
などと、よく言われることだけれど、それは怪しい。
「集中しているふりをする」ことが上達する、のみだ。
いっそ、と、ぼくは思っている。
集中したい時間には、「思いっきり気を散らそう」と。
それこそが、人の自由な想像力のはばたきだと思う。
アイディアとやらも、そこから生まれるものである。
真に気を散らすことが、大事だということ、ほんとだよ。

アイディアが空から降ってくるように言う人もいるけど、
降ってくる前に、さんざん探してるんですよね。
「この課題をどうしたらいいのか？」
「これはなにを意味しているのか？」なんてことを、
しょっちゅう考えているから、答えにたどり着くんです。

ぼくらの仕事は、わかりやすく汗もかかないし、
いかにも頭いいいんだなぁと思わせることもないし、
命がけでやってるようにも見えないだろうけれど、
他の人たちがやってくれている働きに対して、
恥じることのないものだと思っていたいし、
いつでもだれかのよろこびになっていたい。

「踊る阿呆に見る阿呆、同じ阿呆なら踊らにゃ損損」

という阿波踊りでも、「見る阿呆」は大事な役割です。

たのしんでいる人がいることで、たのしみが増幅します。

人のせいにしない。人の批判をしない。
状況のせいにしない。むつかしいことから逃げない。
腕組みして理屈を言ってるだけということがない。
他の人と比べないでじぶんの仕事をしっかりやる。
仲間に望まれている場にはすぐに駆けつける。
よく思いやる。うれしいことはうれしがる。
そして、よく笑いたのしそうにしている。

ふだんは経理をやってる人も、原稿書いてる人も、
重いものを持ったり小走りに手伝いに回ったりしている。
各店舗やエリアのスタッフの皆さんとも、
たがいに影響をあたえあっていることもあるだろうが、
ほんとに仕事ぶりが（ぼくから見て）かっこいい。
そして、毎日言ってるのだけど、お客さんがいいんだよ。

まだ、「生活のたのしみ展」のいろんな記憶を整理している。準備も入れて7日間、やりきった人たちが集まって、こんなに笑ってる。宝物みたいな写真だな（笑わない永田さんは写真を撮っているから写らなかった）。

次の待ち合わせまでの時間。

味の素スタジアムにきて、
もう着席してます。
隣で中竹さんが解説してくれるという、
豪華な一般席です。

すべての人を見渡して、知って、思いやって、
なにかの手助けをするなんてことはできない。
どう考えても、できるはずがないのだけれど、
その「できない」ということにあらためて気づくと、
ぼくらは深い「無力感」の沼に頭をつっこんでしまう。
これでは、じぶんの持っているわずかな可能性さえも
押しつぶしてしまうことになる。だれにもうれしくない。

「すべて」を意識から外せばいいのだと思った。
「面」と交信をしようとするのではなくて、

偶然にでも選ばれた「点」とつながりあえばいい。

ぼくが、そういう発想になったのは、
7年前、気仙沼に通いはじめたころだった。
被災地のすべてを見ようとするのではなく、
気仙沼に「ともだち」がいる、と決めて、
その人たちがなにをしているのか、
どういうふうになったらうれしいのかを考える。
そういうやり方にした。

黙祷が終わって、「あ。」と気づいた。
いままで、わかっていなかったことだ。
「思い出し過ぎてはいけない」のだ。

悲しい出来事があって、
海を見ることができなくなっていた人が、
それからはじめて港まで歩いて来て、
黙祷するひとりになってくれた。
「みんなで来たから、よかったね」と言った。
この日、だれよりも思うことはあっただろうし、
こころのなかを悲しみだけで
満たすこともできたろう。
でも、ぼくらが今年の黙祷の時間を
ここで過ごすと言ってあったので、
なかまとして、
いっしょに歩いて来てくれたのだと思う。

いつものような笑顔で海のほうを向いて、
1分間の祈りのあとで、自然に涙を落としていた。
ここに来て祈るのも、ここで泣くのも勇気だ。
この人は、思い出し過ぎないように
していたのだった。
いくらでも思い出はあるのだけれど、
ちょうどよく思い出すことができたのは、
「みんなで来たから」だったかもしれない。
仏壇でなくて、海に向かって祈れたのは、
とてもよかったのではないだろうかと、
たまたまの隣り人であるぼくは思った。

思い出し過ぎないこと。
思い出すのは、
いくら思い出してもかまわないが、
思い出し過ぎると、きっと

溢れるものによって溺れてしまうのだ。
思い出し過ぎないことで、
「よかったね」と言えた人の隣りにいて、
ぼくも小さくだけれど生まれかわった。

これは、じぶんだけでなく、
親しい人みんなに伝えてやろうと思った。
思い出し過ぎてはいけないんだよ、と。
うん、なんでも過ぎるのはだめなのだ。
恋し過ぎるのも、やり過ぎるのも、
みんなだめだよ。
ぼく自身も、忘れないようにしよう。

2時46分の
黙祷がはじまる直前に、
ウミネコがやってきた。
目を開けたら、
まだそこにいた。

「しょうがない」というのは、
「どうにもしようがない」という意味のことで、
じぶんや他人に、あきらめをうながすセリフである。
子どもだったぼくは、「しょうがない」のひと言で
すべてがおしまいになってしまうことに、不満だった。

青年だったぼくは、決意する、
「しょうがない」と言わない人になろうと。
たぶん、それから、ずいぶん年月が経ったけれど、
ぼくは、なるべく「しょうがない」と言わないように
生きてきたような気がする。

だが、「しょうがない」を無意識で禁じてしまうと、
実は、考え方が歪んでくるということにもなる。

「しょうがない」ことは、現実にあるのに、
「しょうがない」と言えないということで、
どうにもならないことを、まるで、
どうにかなるように思いこんでしまうのである。

たとえば、あなたは、あなたの両親から生まれてきた。
ある時代に、ある国に、ある顔で、生まれてきた。
これは、もう「しょうがない」としか言えないだろう。
事実は事実で、どうにもしょうがないのだ。
人は、年齢を重ね、経験を重ねると、少しずつだけど
「しょうがない」を言えるようになると知った。
「しょうがない」と言ってから、元気に笑えることがある。

彼女の両親に会う、の儀式。
なんといってもぼくは「お義父さん役」の経験者です。
おせっかいかもしれませんが、伝えておきたい。

必要以上に、気の利く奴だとか思われようとしない。
ちょっとぼんくらで、
もの足りないくらいでかまわない。
どういう話が気に入られるかとか考えても、
無駄である。
「すばらしい男だから、認めざるを得ない」なんて、
戦士の試験じゃあるまいし、あるわけがない。
会社でどれだけのお手柄をあげたか
などということは、ただの小うるさい自慢話である。
もし訊かれたら、
最低限のことを控えめに言いなさい。
生まれ故郷の景色だの、名産のおいしさなんかを、
ぽつんぽつんと語るくらいのほうが、よっぽどいい。
安心して身の丈でいけば十分合格だよ。
だって、当の娘さんは
すでにオッケーしてるのですから。

「うそばなし」をどれだけ真剣にやるか、だ。
是枝さんの映画も、村上春樹の小説も、
神話だって伝説だって、みんな「うそばなし」である。
しかし、これに真剣に取り組むと、受け手に
「このうそから受けとめるなにか」が手渡せる。

「ヤザワが、ステージでべしゃりで時間保たしたら、
ファンは、やさしいからさ、お疲れさま、
永ちゃんたのしんで、ゆっくりやってくださいって、
言ってくれるのかもわかんない。
バラードやって、思い出話して……わかった、それもいい。
だけどオレ、まだ声バリバリに出るんだよ、残念ながら。
そして、動ける、歌詞忘れないし(笑)。
まだ全然、みんなが知ってるロックのヤザワなの!
69歳上等、声太くなって高音も出るし、身体も動ける。
歌、かえって上手くなってるもん。わかります?
60になってもケツ振ってロックンロールやっていたら
最高だねって、30くらいのときに言ってたけど、
それどころじゃない、70オッケー、80カモンだよ」
と、これはぼくの趣味のものまねセリフだけれど、
こう言い切れるのが矢沢永吉というものなのである。
で、その矢沢永吉を守り通してるのが、矢沢なのである。

大阪の人は、テレビのなかのタレントさんたちも、
ぼくらといっしょに仕事してる阪急の人たちも、
お客さんとして集まってくれる人たちも、
「大阪はどういうところか」について話してくれる。
つまり、「わたしたちは、こういうもの」というような
自己紹介をしてくれているのだと思う。
たぶん自己紹介が、けっこう好きだし、上手なのだ。

信仰と科学のちょうどいいバランスのなかに、
じぶんの物語が落ち着けたらいいのになぁと思う。

犬と暮らしているそれなりに多くの人が、
「犬がしゃべった」と言う。
うちにいたブイヨンは「かなちゃん」と言った。
ぼくらの物語のなかでは、なんの問題もないことである。
それは信じるということの次元にあるからだ。
たしかに言ったとか、そう聞こえたとか、煎じつめても
どうでもいいことで、犬は「かなちゃん」と言ったのだ。
しかし、同じ人間が、つまりぼくが、
「犬はしゃべらない」ということを知っている。
しかも人間のことばをしゃべるということはありえない。
これは科学であり、先人たちの労苦の末に得た知見だ。

大吉のおみくじを引いて、悪い気はしない。
しかし、そのおみくじが、どういうところで
どういう人によって作製されているのか、
ということなどを知らないわけでもない。
飛行機に乗って旅をするときに、少しだけだけれど、
「もしかしたら落ちる」ということを意識している。
自動車に乗っていて事故に遭う確率のほうが、
ずうっと高いということも知っているくせに。
ぼくの、ぼくなりの物語というのは、
まるまるぜんぶが科学でできてるわけじゃないし、
こころの信じることだけでできているわけでもない。

つまりその、犬はしゃべるし、犬はしゃべらない。
ぼくらは、そのあやしげな釣り合いのなかに生きている。
そして、そのバランスは他人とちょっとずつちがうのだ。

あっという間に原稿を書きあげる方法は、
あるのだろうとは思う。
ある分量の文字を並べる、というだけなら、
いくらでもやり方はある。
しかし、その方法がわかったとしても、
たぶん、ぼくはそうしないのではないだろうか。
ヘタだったり、馬鹿だったり雑だったりしても、
それなりに毎日その時々の頭で考えたことを書く。
だれにそんな約束をしたわけでもないのだけれど、
そうしないと気持ちがよくない。
旅支度をする前に、いま考えながらいま書いている。

書くということには、どれほどビジネスと同化させても、
書いた人間の生きてきた道筋がにじみ出てしまう。
それじゃ困るということもあるだろうけれど、
それがあるからこそ、文章なんだとも言える。
そんなことを、ぼくは思いたがっている。

大阪初めてのクラモチさんと、
お好み焼きやで！

紹介されて舞台に向かうという写真は、
思えばなかなかめずらしいかもしれない。

家にいるし、プロ野球中継は観られるのだけれど、
しばらくはテレビを点けてなかった。
40分ほど経ってからテレビを点けたが、
音声は消して、カーペンターズなんかを流しながら
「本気じゃない観戦」をしている。
こんなこと、もう何年やっているんだろう。
でも、観てる……というのがつらい。
野球さえなけりゃなぁ……。

広島に組み伏せられてボコボコに殴りまくられるような試合を
何度観ていることだろう。もうすっかり慣れきっていて
平熱のまま試合終了をむかえられる強いわたしたち。

もちろん、マツダスタジアムで10連敗なんだけど、
せっかく7連勝で来たのに2連敗なんだけど、おれは責めないよ。
ちゃんと取っ組み合いしてるもん。それで敗れてるだけだもん。
アンド、菅野、肝心な試合でなにやっとんねん？

ぼくの野球メンタルは鍛えられすぎているので、
もう鍛えたくありません。
広島戦の録画、すべて観ずに消しました。

勝敗さえ気にしなければ、だいたい野球はたのしい。

たとえ勝ってても、あるいは敗けてばかりいても、
野球の話はあんまりしない。
今年のおれはひと皮擦りむけているのだ。

いま、いちばん苦手なことば「被本塁打」。

野球は勝ち負けじゃない。
そう思えば、緊張感のある投手戦だった。
呼吸を整えて、外出しよう。
呼吸を整えるのにすこし時間がかかるけど。

「野球は勝ち負けじゃないんだよ」
と、こころから思えたら、
毎日がたのしいことであります。
しかし、選手たちは
「野球は勝ち負けじゃない」としたら、
なにをどうすれば試合ができるのでしょうか。

おれよ、おまえもそれなりにがんばってるよ。
巨人が勝とうが負けようが、
おまえの明日はやってくる。
昨日の続きとして今日があり、
その続きとして明日がある。
そこに巨人の勝ち負けは
なんにも関わってないぞ、おれよ。

おれと野球は、根本的にはなんの関係もない。
どこかのチームが
勝ったとしても負けたとしても、
それを知らなければなんの関係もない。

野球さえなければ、
毎日あたしは元気いっぱいなのになぁ。

おで、さー、こゆことよく言ってて、
よく撤回してるんだけどさー。
また、言いたいんだよ。
「おで、もう巨人の野球は観ない」
「特に広島戦は、でったいに観ない」

観ないって言ったんだから、
観なきゃよかったんだ。

今日の神宮、
巨人にとっては
「絶対勝たなきゃいけない
試合」だったんだ。
それが、こんな秋風の舞う
荒野みたいな…。
帰ろうとしても
道に迷いそう。

思い出に残る試合だった。
澤村も澤…もう言わない!

前々から、ちょっとわるいなぁと思っていること。それは、上司だとかリーダーだとかは、じぶんの土俵で相撲をとるということなんです。先輩でも、主人でも、師匠でもなんでもいいんですが、上下関係のある場合の、上の立場の人って、「ほれ、こんなこんな、こんなふうにすれば、ほれ」という具合に、見事なお手並みを見せたりもします。いや、見せたりもするというより、見せてばかりいます。たいしたもんだなぁ、と思われることも多いはずです。▼かく言うワタクシも、社長みたいなものですから、「うーむ、これでどうだ」だとか、「こういうふうにしたら、いいんじゃないか」とか、得意気に、なにかやってみせることがよくあります。これは、じぶんの得意なことをやっているのです。▼野球の得意な部下の前でホームランを打ってみせるとかピアノの上手な後輩に向かって、弾いたことのないピアノを聞かせるとか、そういうことは、基本的にしないのです。ぼくだったら、いかにもコピーライターが得意なことや、すでに身につけている思考方法みたいなものを使って、「これはどうだ」と結果を出してみせるのですから、ある程度は感心されて当たり前なのです。しかも、その出来不出来の判断も、上司だとかリーダーである立場の人がするのですから、「上のもの」がさすがの答えを導き出すというのは、もう卑怯と言っていいくらいの出来試合なのです。▼そんなしくみがわかられた上で、なお、リーダーとして尊敬されるかどうか。そういうことが大事なんだろうと思っています。わざわざ苦手なコートで、苦手なことをする必要はない。だけど、じぶんにできないプレイを、いつも探している。それがうまくいくとじぶんのマジックも不要になります。ぼくは、そっちの方向に歩いていきたいです。▼のびのびプレイできる場を、みんなが持ってるのが最高。

横尾忠則さんの大きなテーマは、「すべては未完である」ということです。なにからなにまで、森羅万象の一切が未完である、と。「達成感」とか「完成」とか「目的」とかを、頭から排除しちゃってる……のだと高らかに語ります。これ、言うのは簡単ですけど、ほんとうにそう思えるかと言えば、なかなかむつかしい。でも、その感覚を我がものにすることができたら、もしかしたら「達成」とは無縁の「万能」と「自由」を得られるんじゃないかと思うんですよね。▼学校にいるときから、いつでも人は、もうちょっとあれができたらとか、これが不得意だとか、できるけどまだまだだとか……いかにも、その先に「ちゃんと満点」があるように思っているでしょう。でも、仮にその満点を得た次の瞬間には、もう、次のできないことが待っているわけですから、達成なんて、いつも過去のものになっちゃうんです。▼それは能力の面だけじゃなくて、人間としての、性質にまでおよんでいるわけで、経験を積めば積むほど、じぶんの弱いところだとか、じぶんのいい加減なところだとか、汚いところだとか、悪いように思える不完全なところが見えてきます。幼いころ若いころにはじぶんの弱さも見えにくいので、しっかり生きた人ほど、じぶんのダメさに気づきます。それを、直そうとしても、なかなかそうはいかない。でも、「未完」を前提にしたら、どうでしょうか。どうせ「死んでも未完」なのですから、いまは、もっとじぶんに合ったことをしようと思えてきそうです。▼弱いことを強くしたり、悪いところを直したりするのも、なにかやりたいことがあってやるのなら、いいですよね。でも、ただ「完成」に近づくために直すくらいなら、それは無理だから（どうせ「未完」なのだから）、しなくてもいいということでしょうね。それをやめただけで、どれくらい自由になれることか。

若いじぶんよりも、いまのほうがよくできることもある。いま、現実にぼくがやっていることのほとんどは、10年前、20年前、30年前のじぶんよりも、いまのほうがうまくできるのではないかと思っている。▼いわゆる体力や強い力でなにかを成し遂げるのではなく、あれこれの力のバランスや、方向性をよく見て、しかも時間やら塩かげんなども上手に使って、なんらかの高さや広さにたどりつくというのは、経験をたくさん重ねてきたいまのほうがやりやすい。逆に、昔のじぶんがやったいろんな仕事を、いまのぼくができるかというと、これはおそらく無理だ。山のようなアイディアやセリフを集めてつなげて、おもしろいロールプレイングゲームをつくることなんて、絶対にできっこないという自信さえある。▼なにが足りないのか、思いつくのは、生命力だ。夢中になって、馬鹿になって、疲れても続ける体力。それを支える、「ウケたい」という欲だ。ウケてどうするものでもなく、歓声とか拍手のようなものが欲しくてしょうがない。そういう気の持ち方は、だんだんと減っていくものだ（減っていくのがうれしいという気持ちもあるのだが）。ああいう欲は、植物でいえば「花」のような部分だろう。そこで咲かせた花が、人を呼び込んだりもする。さらには、それに実がついたりもするわけだ。植物の本体が根であるとしても、花が咲くということには生きものとしての快感がある。▼咲こう咲こうとしていた時期につくったものには、なんだか不思議な魅力もあったりする。上手とか下手とか真面目とか不真面目とかにかかわらず、必要以上にのびのびしたいのちの動きがあるものだ。年頃の娘たちが、どうしても魅力的であるようにね。▼そういう時期に、四の五の言わずに仕事しておいてよかったと、いまさら思っている。もっとよくできるまで、じっくりと力を溜めてからとか、秀才みたいなことを言わなくてよかったよ。

「好きこそものの上手なれ」と、よく言われます。ぼくも、そうだろうなぁと思っていました。▼ところが、上手であることはだれもが認めているのに、「好きじゃない」と言い切る人がいました。歌手の前川清さんです。歌はまったく好きじゃないです、と。歌いたくて歌ったことはほとんどない、と。ファンが「聞かなきゃよかった」と思ってしまうようなことを真顔で言います。ただ、「これで食わせてもらっているのだから」と続き、「よかったなと思ってもらわなきゃいけないです」と、結論はそこに行くのではありません。なんというネガティブ、とも思うのです。そして、ぼくはそういう彼の歌にしびれてるわけです。おかしなものだなぁ、と思います。じゃ、「好きこそ上手」じゃないじゃないですか！▼そんな話をしてから、落ち着いてよく考えてみたら、ぼく自身も、文章を書くことが好きじゃないんですよね。書かなきゃならないから書いているようなもので、たのしいと思って書いていることは、ほとんどないです。真剣に書いてはいるんです、人が読んでくれるものだし。だけど、うんうんいって書いて、書き終えたよろこびや、読んでもらえたうれしさはあっても、書くことが好きかと言われたら、そんなことはないです。▼先日、大好きなお鮨屋のご主人に、人のいない時間に、「お鮨をにぎるのは好きですか」と訊いたんです。そしたら、「好きだと思ってた期間は長かったですが、いまは好きじゃあないですねぇ」と真剣に答えたんです。ものすごく丁寧な仕事をするおいしい店なんですよ。「じゃ、生まれ変わったら鮨屋にはならないですか？」ぼくは、ついつい訊きたくなりました。そしたら、前から考えていたというふうに「カウンターのこっちじゃなくて、向こう側で、お鮨を食べるのがいいですね」と、にこりと笑いました。

どうも目が痛いし、
のどがイガイガするし、
鼻もむずむずすると
思ってましたが、
あれですな、黄砂ですな。
家にもどって顔洗って
うがいしたら、
すっきりしましたもん。

MUNCH

2018 10月27日(土)—2019 1月20日(日) 東京都美術館

ここにいるよ。

昨夜の『ほぼ日の学校』の講師は橋本治さんでした。
なんとなく、ぼくにとっては幼なじみみたいな感覚で、
いつもの、不平そうなしかもたのしそうな口調で
しゃべっている姿を見ているだけでもうれしいのですが、
やっぱり話の内容がどすんと大きいんですよね。
参加者は、それぞれの聴き方をしてたのでしょうが、
みんなそれぞれに立ち往生させられたのではないか。
いやいや、いい意味でね、そんなことを想像してました。

古典というのは「すでにそこに在ったもの」、
であるとも言えます。
橋本くんが見つめたり編み直したりするのは、

そういうものがほとんどです。
もうほんとに「故きを温ねて新しきを知る」を、
ずうっと生き生きと続けているような人です。
「ぜひ、また来てね」と言ったら、
「人前でしゃべるってのはストレス高いからさ、
ほんとはものすごく疲れるんだよね」と笑いました。
あんがい、また来てもらえるかもしれません。
（2018.02.28）

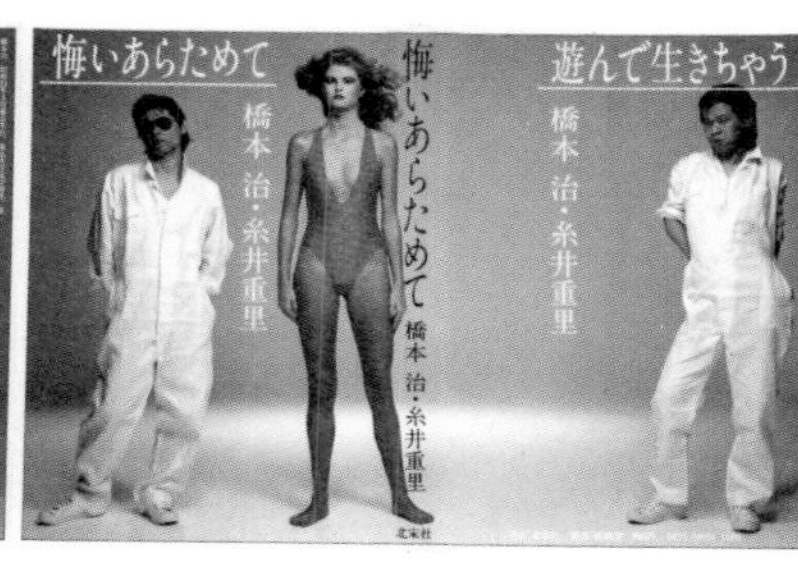

『悔いあらためて』橋本治・糸井重里共著（北宋社）

嘘を混ぜたり、飾ったりせずに、
亡くなった人のことをほめることができたら、
それがいちばんいいと思う。

さくらももこさんと、ずっと会ってなかった。
いつのころからか、彼女が、じぶんのことを語る機会や、
外に出ていろんな人とやりとりすることを
意識的に減らしているように見えていた。
別の用事で、さくらさんの仕事場のドアの前を通った。
呼び鈴を押して驚かせようかなぁと思ったのだけれど、
なんとなく、それをしていいのかわからなくて、
わからないときはやめておこうと、素通りしてしまった。

若くて元気な時代のさくらさんの心持ちは、
ほんとうに繊細であり愉快であった。
「繊細であり愉快」だって?
こんなふうに漢字の熟語を並べて、
まとめたように見せてしまってはだめだな。

感じること、思うこと、考えることが細かくて丁寧で、
しかもそれがおもしろい方を向いていた、と言うべきか。
「芥川賞を爆笑もので獲れないかと思ってさ」と、
本気で言っていたことがあった。
わかっていて「いい気になってる」ようにしていた。
人は、怖がりでこころの小さいところからはじまって、
「いい気になってる」を繰り返して大きくなる。
舞台に上がるとは、そういうことなのだろうと思う。

そして、たぶん、さくらももこさんは、
そういう「いい気になってる」ことで動いていく舞台を
あるとき、じぶんから下りたのだと思う。
しかも職業としての仕事は続けていたのがすごい。
ずいぶんと、まるごとすべてのある人生だったなぁ。
ぼくの言った『そういうふうにできている』という
若い諦観のようなことばは、すっかり彼女のものだ。
もっと会ってたら、なにも書かなかったと思うのですが。

そういうふうにできている
さくらももこ
SAKURA momoko
新潮文庫

『そういうふうにできている』さくらももこ著（新潮文庫）

人間は、じぶんを生かすために食う。
じぶんのような人間を残すことをする。
そしてどうしても死んでしまう。
することは、だいたい以上に尽きるとも言える。

だとすれば、ほんとうにしつこく深く考えるべきは、
「生きるにつながる食うこと」とその周辺について、
「人間を残すにつらなる番うこと」の関係について、
「必ず死を迎えること」の謎について、
この三つだけでいいのではないだろうか。

いっしょにめしを食うことは、どういうことか。
恋をすることのうれしさと怖さ。
死ぬことは生きていることと矛盾しているのか。
なんでもいい、このへんのことをぐるぐる思い考える。

50万年もずっと先祖たちがやってきたことだけに、
考えてきたことの質も量も、膨大にある。
そして、それがじぶんの身体に刻まれていたりもする。
葬式のお経も、猥談も、食いしん坊話も資料である。

毎年一歳ずつ年をとっているぼく自身も、
後ろを考えたほうがいい時期がきている。
「桃栗三年柿八年」とか言うけど、
ぼくが柿を植えて、それを食べたいと思ったら、
78歳になっている必要があるのである。
だとしたら、柿をいま植えておかないといけないぞ。
桃でも栗でも、植えるのを先延ばしにしていたら、
収穫するたのしみも味わえないということになる。
やっておかないといけないことについては、やりたい。
そしてそれは、はじめなきゃはじまるわけもない。
夏休みの終わりに宿題をやりはじめる子どもみたいだが、
「そのうちやる」とか「やると決めてある」ことなどは、
「もうはじめてなきゃいけない！」と思うようになった。
しかし、あわててやっちゃいけないのも知っている。
いろいろと覚悟を決めて、手足を動かそうと思っている。
もちろん、「たのしく」やるんだよ。

ぼくは、このところの忙しさの正体がわかった。
なにかと「終わり」の準備をしているつもりがあるので、
あれもこれもやっておこうとして、気が急いているのだ。
ぼくは、じぶんに残っている時間や元気のことを、
強く意識しはじめてしまったのである。
つまり、時間や意義みたいなものにケチになっている。
あれもこれも、残しておかずやっておこうと思うのは、
悪いことでもないのだけれど、余裕がないのはダメだ。
いつまでも元気で生きるつもりのことを、
混ぜておかないと、役に立つことを優先しすぎてしまう。
人間というのは、そういうのに向いてないのにね。

イラスト＝ショーン・タン（P二六〇、二六三、二六五、二六九、二七五）

「どうして死んじゃったの？」という問いに対して、
その「どうして」のところを答えるのは、とても難しい。
どうしてという「原因」ならわかりそうだけれど、
どうしてという「理由」はないのだ。
「どうして生まれたの？」への答えも同じことだ。

生まれて、死ぬ。
そういうふうにできている。
できるだけ、そういうふうに考えるようにしているが、
死のことを、もう考えなくていいとは、
どうしても思えない。

いまのところ、ぼくにとっての死というものは、
別れることのさみしさであるようだ。
痛みだとか苦しみは、死につきもののように思えるが、
ほんとうは無くてもいいものだ。
死を恐ろしいもののようにイメージするのは、
決して生を肯定することの手伝いにはならない。

痛いのも苦しいのも無くして、そのときを迎えたい。
死ぬときを早めるような痛み止めをもらってもいい。
ぼくが死にたくないのは痛いからではないようにしたい。
みんなと別れたくないからだと、思ったままでいたい。

ぼくが、じぶんのこととして言い残しておきたいのは、
ドラマなんかでもよく見る「延命装置」のことだ。
じぶんがそういう立場になったときには、
もう、自らの意思をはっきりと言えないわけで。
医師も、家族や親しい関係者の皆さんも、
「もうここまででいいですね」とは、なかなか言えない。
「もしかすると、ある確率で快方に向かう」
という可能性がないのなら、ぼく自身は楽にしてほしい
(だが、そして、そう言っているぼくも、
じぶん以外の人が延命装置につながっている場合には、
「もうここまででいいでしょう」と言いにくい)。
冷たい人もいないし、いい人ばかりなのに、
なんだかだれも幸せにしてくれない場面について、
もう少し、近しい人たちと話し合っておきたいと思う。
ここまで生きたい、こんなふうに生きたいを、まず決める。

じぶんがやがて死ぬということについて、
できたら、ある程度元気なうちに
ぜひやっておきたいことがあります。
それは「こうなったら、もう楽にしてくれ」という
「本人の意思」を記録しておきたいということです。
痛かったり苦しかったり意識がなかったりの状態で、
もしかしたら息を吹き返すという可能性を「信じて」
いのちを長持ちさせられるなんてことを、
ぼくは（あくまでも、ぼくはね）望みません。
その判断を家族も医師もやりにくいとも思うので、
「本人」として「こうなったら、もういいよ」
という境界線を決めておこうと思うのです。
なんなら、関係する人への「命令」としてでもいい。
「1分1秒でも長く生きてほしい」なんて馬鹿なことだと、
ぼくは（ぼくはね）、いまから言っておきたいです。
「長く生きたいのではなく、よく生きたい」と思います。

「あれはおいしかったなぁ」と、どちらからともなく言い出すと、「あれはおいしかったねぇ」とどちらかが重ねる。格別に仲がいいとも言えないうちの夫婦ではあるが、この「あれはおいしかった」のデュエットは見事である。

それはたとえば、りんごである。故藤田元司監督が送ってくださったりんごだ。「木の単位で契約しているんです」ということで、実ったりんごを知りあいに送っていたのだそうだ。りんごを食べるときには、よくあのりんごを思い出す。「あのりんごはおいしかったねぇ」「そうだねぇ」

またたとえば、タコである。三浦半島の方面にスミイカを釣りに行って、ぼくがまちがって釣ってしまったタコは、「やわらかくて味が濃くて、おいしかったねぇ」と、タコを食べるときに、ついどちらかが言い出す。

そして、菜の花である。ぼくと、中学を卒業する娘とが、卒業記念スカイダイビングをやったことがあった。ぼくは二度目だったが、娘は初めてのことで、先に降りた娘が、めくるめく体験に半ば放心しながら次に降りてくるぼくを待ちつつ、着地地点の河原に咲いていた菜の花を摘んでいた。これを持って帰って、茹でて食べたらうまいのなんの。「あれは、おいしかったなぁ」「おいしかったね」

さらに、「まるいパン」である。岩田さんが京都の家に遊びに来るときには、必ず持ってきてくれたバターロールみたいなものだ。家人があんまり喜ぶものだから必ず持参してくれた。店もわかっているので、のちに買いに行ったけれど、どうしても、あの「まるいパン」は手に入らない。

あと、なにかあったと思うけれど、いま思い出せない。高級だったり珍しかったりするものではないけれど、どれも、おいしかったなぁということについては、老夫婦として死ぬまで語りそうな予感がある。

だれでも、何歳くらいまで生きるつもりかという話を、
一度や二度はしていると思います。
ぼくも、その答えを更新しながら、何度も話しています。
いまのところ、公式な答えは「千歳まで生きる」です。
「源氏物語から千年」という話題があったときに、
千年というとそんなにいろんなことが味わえるのか、と、
「生きてみたいなぁ！」と思ったのがきっかけです。
千年も生きてたら飽きるよ、と笑われますが、
いやいや、絶対に飽きないと思うんです。
千年間に、たくさんの出会いと別れがあるんだろうなぁ。
これがいちおう公式の答えなのですが、
意外にも、その裏返しみたいな考えですけれど、
「いつでもしょうがない」という気持ちもあるんです。
これまでも、今日も、たぶん明日もおもしろいものね。

生きるがあって死ぬがあるし、光があって影があるし、
表があって裏があるし、出会いがあって別れがあるし、
ほんとはどっちも同じものなんだよなぁと、
つくづく思うようになりました。
生だけっていうものはないんだよね。
死だけがあるってこともなくてさ、
光だけもない影だけもない、
右だけもなく左だけもない、
そういうものだ。

期限付きの生を生きているという意味では、
ぼくも、幡野広志さんと、
ほんとうは同じところにいるはずです。
それを意識しながら、彼とつきあってきて、
ずいぶんたくさんの勇気や思考をもらいました。

これは、
最近の幡野広志さんに
撮ってもらった写真だよ。

撮影＝幡野広志

ほんとの冬が来る前に、どうぶつである人間は、
すこしずつ寒さの季節への準備をはじめる。
だんだん厚着になることに、慣れていく。
いつまでも明けない夜の長さに、本を読み出す。
ふとんの冷たさに、会いたい人を思う。
帰路を急ぐ娘たちも、咲くような笑顔を隠してしまう。
冷たいものが空から落ちたら、雪かなと上を見る。
さみしいことを前提にして、冬という季節はある。

イラスト＝福田利之

久しぶりに、何人かの幼いこどもを見たのだけど、
いいものだね、ちっちゃいこどもにふれるのは。
だって、あのちっちゃいからだのなかには、
未来が入ってるわけでしょう？

とても近くにいる人が、赤ちゃんを生むことになって、
それを横から見ていたら、赤ちゃんを生むということは、
同時におかあさんが生まれることなのだと思いました。
もっと広く言えば、おとうさんが生まれるし、
おじいさんやおばあさんが生まれるし、
新しい人の加わった世界が生まれることでもあります。

わたしがうまれる

いま　わたしがうまれる
いままで　わたしは　まっていた
そだちながら　まっていた
ひとりじゃなかった　おかあさんといたし
みんなが　こっちをみていてくれた
いま　わたしがうまれる

いまから　わたしは　あいにいく
よろこびに　あいにいく
ひとりじゃないよね　おかあさんもいるし
みんなが　わたしをみていてくれる

いま　わたしがうまれる
いま　わたしがうまれる

70歳の誕生日を目の前にして、娘にこどもが生まれた。「お孫さん」というものを、いつかいつかと待ち望む人もいるらしいが、ぼくはいなくてもかまわないと考えていたおやじだった。

よく、こどもが生まれたばかりの後輩たちに向かって、「かわいいだろう？ でもな、それはちがうんだ。これから、加速がついたようにかわいくなるんだ。それに比べたら、いまはあんまりかわいくないくらいだ」と、まことにおせっかいなことを言ったりしていた。生まれたての赤ん坊というのは、水につかっていたせいかしわしわした赤いやつで、家族や親族にとってはかわいく見えるものの、赤の他人のおじさんにとっては、なかなかかわいいようには見えないものである。ひと月でもふた月でも時間が経つと、他人にとってもかわいいものになるのだ、と思っていた。

しかし、人間の身勝手さというものはおそろしい。孫を見て、「ちょっと、かわいいかもしれない」と、今回は、思いはじめているのである。まぁ、しばらく時間が経ったら、やっぱり、生まれたてのころの赤ん坊は、かわいいと言うには無理があったなとか言うのだろうが。いまでも、あんがいかわいい。孫が生まれて「おじいさん」と呼ぼうとする人がいるが、それについては、あんまり好ましいと思わない。おとうさんには、じぶんからなったのだけれど、おじいさんになろうと思っていたわけじゃないからな。ぼくは、なんにも変わってないつもりだ。

変わったことがあるとすれば、赤ん坊の両親である娘と義理の息子のことを、いままで以上に好きになったことかもしれない。一所懸命に生きているという感じが、とてもかわいい。なかなかたいへんなこともあるだろうけれど、不安そうにしたり、過剰に心配したりもせずに、笑いを忘れずに生きているところも、尊敬できる。こどもが育つって、親が育つということなんだねー。

ぼくは、子どもだったころのじぶんの娘に、
たくさんのことを教えてたおぼえはないのですが、
意識的に教育したことも、いくつかはあります。

ひとつは、いっしょに出かけるとき、
ぼく自身はエスカレーターに乗って上るのですが、
娘にはその横の階段を上らせました。
かなり小さいときから、それをしていたので、
「なんでわたしは階段なの?」と不平を言うこともなく、
当然のことのように、階段を上っていました。
脚が丈夫になって駆けっこが速くなるというような、
得があるからという理屈もあったかもしれませんが、
「らくじゃないことをへっちゃらでやる」人間に
育ってほしいと考えていた、というのが本心です。

骨惜しみせず、「らくじゃないことをへっちゃらでやる」
というような人に、ぼくは憧れていたのだと思います。
娘には、そういうふうになってもらいたいと考えて、
たとえば階段を上るように教えたのでした。

子どものころから、娘自身も大人になりましたから、
いまでも階段を上っているかどうかは知りません。
でも、人からなにか頼まれたりすることを、
めんどくさがるような素振りを見せずに、
わりかし当然のようにやっているのは、知っています。

いまさらですが、「骨惜しみしない」ということ、
人がよく生きていくための、すばらしい資質になります。
娘の娘にも、階段を上らせてくれないかな。あれはいいぞ。

おとうさんやおかあさんが、どういうことを思ったり、考えたりしていたか。こどもは、じぶんが大人になったときに知りたくなる。

いっしょに過ごした時間が長くても、たくさんいっしょに話したことがあったとしても、そこであんまり語られなかった「おとうさん」や「おかあさん」がいる。家族としてどんな話をしていたのかとは別に、おとうさんは他の大人たちとなにを語りあっていたのか。おかあさんはひとりの時間になにを思っていたのか。そういうことが知りたくなる。

大人になったこどもは、あるときに、おとうさんもおかあさんも、ひとりの人間だったということについて、いまさらのように気がつくからだ。おとうさん、おかあさん、と呼んでいた人が、じぶんのような人間だったとしたら、どんなふうに生きていたのだろうかと興味を持つ。

こんな機械をつくる仕事をしていたんだよだとか、こういう人に、こういうサービスをしていたよだとか、うれしいときにはこんな歌をよく歌っただとか、隠していた恋心があってねだとか、こんなことをずうっと気に病んでいたんだよだとか、全然だめだめなことでもいいし、けっこうりっぱだったことでもいいし、弱いところがいっぱいあったという事実でもいい。

そういうおとうさんやおかあさんのさまざまな足跡を見て、こどもはまた大人になる。おそらく、ぼくのこどもは、自然と、ぼくがこうして書いている文章を読むことになる。直接会ったときには「げんき?」とか言い合うだけでも、そうじゃないぼくのことを知ることができる。ずいぶん恥ずかしいことでもあるけれど、いいことだ。ぼくは、ひとりのこんなふうな人間で、できることなら、これを読むこどもが、生きることを好きになるような足跡を残したいと思う。

手に入れてうれしくて、
寝るときもいっしょにいたくて、
すぐ見えるように枕元に置いておく。
そういう気持ち、
いつのまにか無くなってしまったな。
持って歩かなくてもいいのに、
バッグに入っていたりね。
これは、ぼく個人の
クセみたいなものかもしれないが、
小さいものなんかだと、
口のなかに入れて転がしていた。

犬が、じぶんの「おやつ」を
ソファのすき間に隠して、
つきだした鼻をシャベルのように使って
架空の砂をかけて埋めてたりするのを見てると、
ちょっとうらやましい気持ちになる。
大事なんだよね、
そいつがきっと、とってもね。
犬やら子どもが、なにかをじぶんのものにして、
それを大切に守り、
愛おしんだり慈しんだりする。

他にどんな大事なことがあるんだ？
というような。
なんだろう、所有感覚というのとは、
ちょっとちがうな。

あのくらい、なにかを欲しがってみたいよ。
欲しがる力が、
じわじわと弱まってきてるように思う。

がつがつと欲しがる力を
発揮したいのでもないけれど、
犬が「おやつ」を隠すような心持ち、
子どもが枕元のおもちゃを
眺めていたような胸の鼓動。
そういうふうな力は持っていたいものだな。

人間は、けっこうダメなやつらかもしれないけれど、
けっこうダメなところも含めて、けっこういいもんだよ。

娘の「泳げた！」という瞬間に立ち会えたのは、
わたくしの人生の大幸福のうちのひとつです。

木戸川漁協で
放流した鮭の稚魚。
川にうろうろしてるコを、
さっとすくって
見せてくれた。

ちょっと陽気にし過ぎてて、
くたびれた。
桜がまた煽りたてるし。

なにを書こうか、ずっと迷っていた。
どこから書き出しても、どれもちょっと死の匂いがする。
ものごとは、みんなそうなのかもしれない。
誕生と記すだけで、その裏地に死の刺繍が入る。
たのしかったと言えば、その終わりが入れ替わる。

世の中には、おもしろいものがいくらでもありますね。
あれもこれも、みんなおもしろい。
拾って磨けばぴかぴかになりそうなもの。
すでに、たくさんの人がわいわいたのしんでいるもの。
見る人が見たらとんでもない宝になるようなもの。
ぼくらの機嫌をよくしてくれるもの。
そういうものだらけです。

感じるというのは、不思議です。
じぶんで、じぶんがどう感じるか予測がつかないし、
なにか感じてからその感じ方に、
じぶんで驚くことさえある。
もちろん、他の人の感じ方についても、
まったくわからないと言ったほうがよさそうです。
はたして、今日、ぼくはなにを感じるのか。
そして、ぼくの会う人々はなにを感じるのか。

じぶんひとりで存在するなんてことは、
根本的にできないわけです。
水を飲むだけのことでも、水がなきゃ飲めない。
ひとつの私的で詩的なひらめきがあったとしても、
これまで生きてきたたくさんのモノゴトが材料なので、
ひとりだけで表現できたわけでもないんですよね。
勝手に「じぶん」だと思っているじぶんは、
じぶんという名の容れ物で、他人や自然や無関係などが、
その容れ物のなかにたっぷり入っているものだと思います。

ぼくらは、いつも、先にわかっている。
つまり、わかってからなにかしているのではなくて、
しているときには、すでにわかっていたりするものなのだ。
うまく言えないけれど、ほんとはわかっていた。
そういうことのかたまりなのだ。

ことばにできるとき、というものがあって、
わかっていることの一部分なり、おおまかなところが、
すがたかたちのあることばになる。
ことばになると、ほかの人に伝えられたり、
忘れないように記しておいたりができる。

わかっていることのうちで、

ことばになりたくてしょうがないところが、
あたまだか、こころだか、内臓だかのあたりで、
うぃーんうぃーんとうなりだすと、
とても重苦しい感じになる。
その時間がしばらくつづいて、
やがてことばとしてけむりのように外にでる。

ことばとして外にでてしまうと、
それに、別のことばがとりついていく。
もしかしたら、別のことになっていくのだけれど、
なかなかそれには気づきにくい。
わかっていることは、もしかしたら、わからなくなる。

好きなことがあるだけで、幸いである。
それをしているときのあなたが、いちばんあなたらしい。

好きなものを食べられるのは、幸いである。
それを食べているあなたは、だれよりもうれしい。

好きな人がいる人は、幸いである。
好きな人を思うだけで、生まれてよかったと感じられる。

好きな場所があるのなら、それも幸いである。
あなた自身も、気持ちよくその場所に溶けている。

「ありがとう」って言ったときには、
「ありがとう」って言われているんじゃないかな。
「ありがとう」って言われているときには、
「ありがとう」って言ってるんじゃないか。

わりと、東京が好きだ。

仲のよかった犬がいなくなって、
犬のことを考えていると、人間のことを思うんだよね。
犬がすてきなのは、「すばらしくいい」なんて領域を、
はなから狙ってないことだよ。
犬は、いかにも「けっこういい」で「けっこうダメ」だ。
そのあたりですよねって、犬も人間も知ってるんだよな。
そこんとこが、なんとも白い雲や青い空みたいにいいよ。

今日という日の
日記がわりに
こんな空。

ブイコは赤ちゃんに会いました。
赤ちゃんは、ブイコに会いました。
2018年12月9日のことでした。

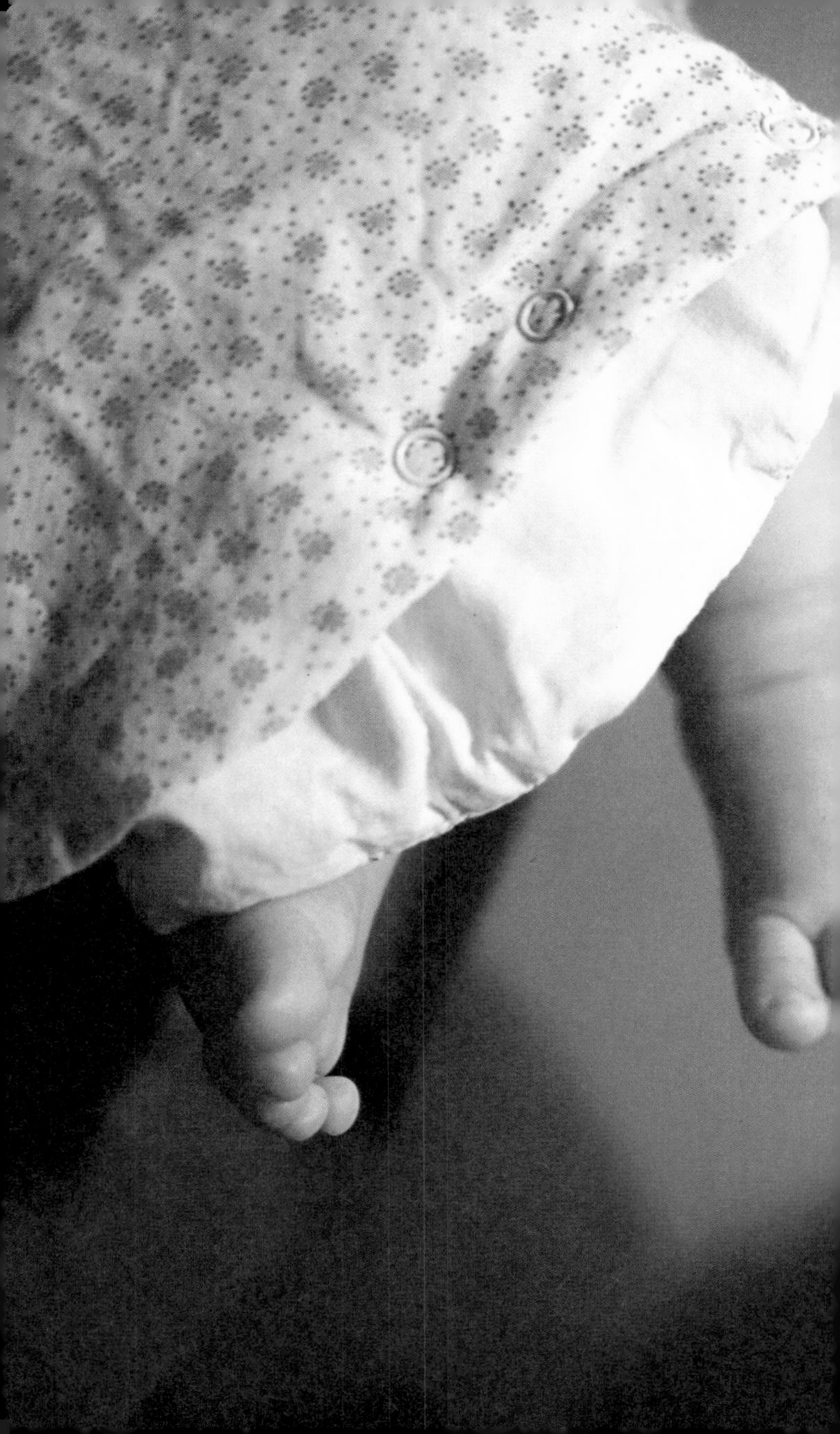

糸井重里のすべてのことばのなかから
「小さいことば」を選んで、1年に1冊ずつ、本にしています。

2007年

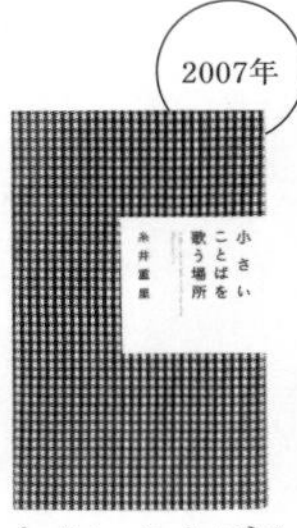

小さいことばを
歌う場所

2008年

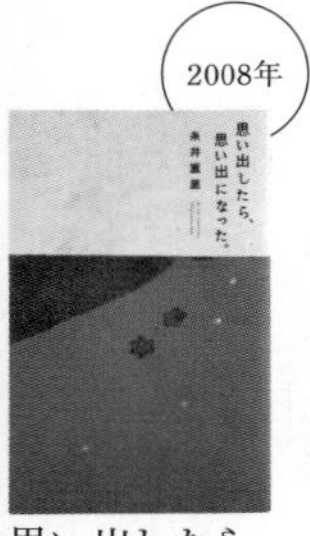

思い出したら、
思い出になった。

2009年

ともだちが
やって来た。

2010年

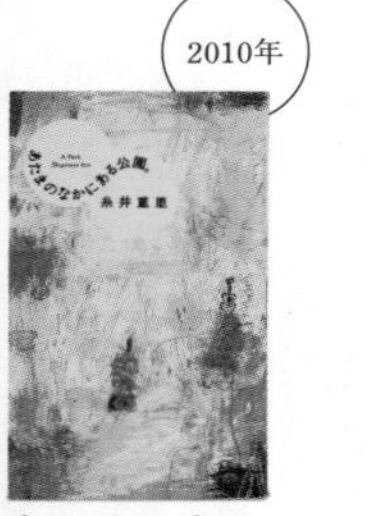

あたまのなかに
ある公園。

装画・荒井良二

2011年

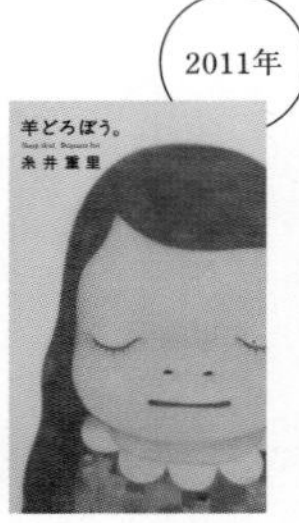

羊どろぼう。

装画・奈良美智

2012年

夜は、待っている。

装画・酒井駒子

「小さいことば」シリーズ既刊のお知らせ。

ぼくの好きなコロッケ。
カバーデザイン・横尾忠則

ぽてんしゃる。
装画・ほしよりこ

抱きしめられたい。
ニット制作・三國万里子
写真・刑部信人

忘れてきた花束。
装画・ミロコマチコ

他人だったのに。
装画・皆川明

思えば、孤独は美しい。
装画・ヒグチユウコ

「小さいことば」シリーズから生まれた文庫本。

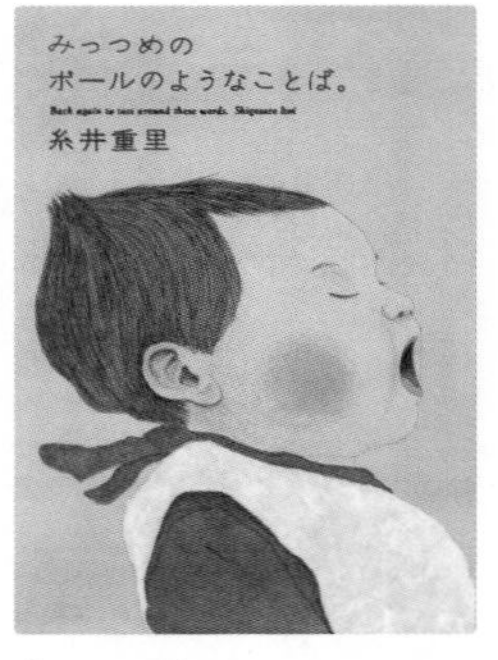

みっつめの
ボールのようなことば。
装画・松本大洋

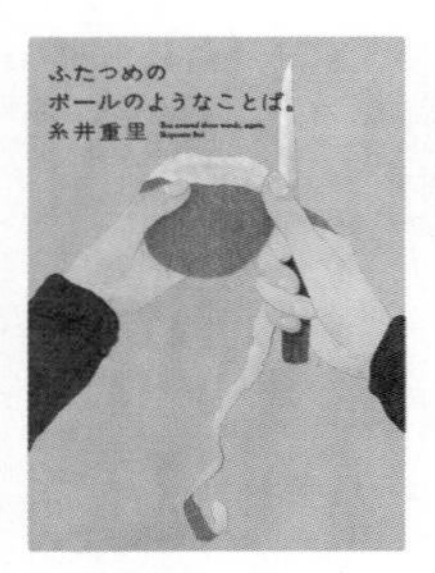

ふたつめの
ボールのような
ことば。
装画・松本大洋

ボールのような
ことば。
装画・松本大洋

かならず先に好きになるどうぶつ。

二〇二〇年九月一日　第一刷発行

著者　糸井重里

構成・編集　永田泰大

ブックデザイン　清水　肇（prigraphics）

進行　茂木直子

印刷進行　藤井崇宏（凸版印刷株式会社）

協力　平澤明生（株式会社　求龍堂）　斉藤里香　草生亜紀子

発行所　株式会社　ほぼ日
〒107-0061　東京都港区北青山2-9-5　スタジアムプレイス青山9階
ほぼ日刊イトイ新聞　https://www.1101.com/

印刷　凸版印刷株式会社